Discobiografia Legionária

Discobiografia Legionária

Chris Fuscaldo

COPYRIGHT © 2016 CHRISTINA FUSCALDO
© 2016 LEYA EDITORA LTDA.

TODOS OS DIREITOS RESERVADOS E PROTEGIDOS PELA LEI 9.610, DE 19.2.1998.
É PROIBIDA A REPRODUÇÃO TOTAL OU PARCIAL SEM A EXPRESSA ANUÊNCIA DA EDITORA.

PREPARAÇÃO
NINA LUA

REVISÃO
PEDRO STAITE

CAPA E PROJETO GRÁFICO
LEANDRO DITTZ

DIAGRAMAÇÃO
LEANDRO LIPORAGE

FOTO DE CAPA
LEONARDO AVERSA/AGÊNCIA O GLOBO

DADOS INTERNACIONAIS DE CATALOGAÇÃO NA PUBLICAÇÃO (CIP)
ANGÉLICA ILACQUA CRB-8/7057

FUSCALDO, CHRIS
  DISCOBIOGRAFIA LEGIONÁRIA / CHRIS FUSCALDO. – SÃO PAULO: LEYA, 2016.
  216 P.

  ISBN: 978-85-441-0481-1

  1. LEGIÃO URBANA (CONJUNTO MUSICAL) – DISCOBIOGRAFIA. 2. GRUPOS DE ROCK – BRASIL. I. TÍTULO.

CDD 782.42166

16-1281

ÍNDICES PARA CATÁLOGO SISTEMÁTICO:

1. GRUPOS DE ROCK - BRASIL

TODOS OS DIREITOS RESERVADOS À LEYA EDITORA LTDA.
AV. ANGÉLICA, 2.318 – 12º ANDAR
01228-200 – CONSOLAÇÃO – SÃO PAULO – SP
WWW.LEYA.COM.BR

SUMÁRIO

INTRODUÇÃO: A HISTÓRIA DAS
GRAVAÇÕES DE UMA BANDA LEGIONÁRIA..................................7

DISCOS DE ESTÚDIO
LEGIÃO URBANA 18
DOIS 32
QUE PAÍS É ESTE 1978/1987 44
AS QUATRO ESTAÇÕES 56
V 68
O DESCOBRIMENTO DO BRASIL 78
A TEMPESTADE OU O LIVRO DOS DIAS 88
UMA OUTRA ESTAÇÃO 98

DISCOS AO VIVO E COLETÂNEAS
MÚSICA P/ ACAMPAMENTOS..108
MAIS DO MESMO 116
ACÚSTICO MTV 122
COMO É QUE SE DIZ EU TE AMO 132
AS QUATRO ESTAÇÕES AO VIVO......................................140
LEGIÃO URBANA E PARALAMAS JUNTOS 148

DISCOS SOLO
OS CAMINHOS DE CADA UM 159
THE STONEWALL CELEBRATION CONCERT 160
EQUILÍBRIO DISTANTE 168
O ÚLTIMO SOLO 178
PRESENTE...186
O TROVADOR SOLITÁRIO 196
DUETOS...204

INTRODUÇÃO: A HISTÓRIA DAS GRAVAÇÕES DE UMA BANDA LEGIONÁRIA

Quando decidiu montar uma nova banda, Renato Russo já trazia na bagagem a experiência de liderar um trio de punk rock e o trauma de subir ao palco acompanhado apenas do próprio violão. Como vocalista e baixista, esteve à frente do Aborto Elétrico entre 1978 e 1982, que tinha Fê Lemos na bateria e André Pretorius na guitarra. Flávio Lemos foi a tábua de salvação de Renato, que não precisou mais tocar baixo após a chegada do irmão de Fê. Passou também pela banda o guitarrista Ico Ouro Preto. A carreira solo durou pouco: O Trovador Solitário abriu alguns shows em Brasília, foi a única atração da noite em algumas casas e compôs bastante. Cansado de não se identificar com os projetos nos quais se metia, acabou decidindo partir para um novo tipo de trabalho... coletivo.

O carioca Renato Manfredini Júnior, nascido em 27 de março de 1960, mudou-se com os pais e a irmã para Brasília em 1973. Antes, morou em Nova York, entre 1967 e 1969. Mas seu porto seguro era o Rio de Janeiro, onde ficava o resto da família e onde ele passou parte da infância. Dava aulas de inglês, trabalhava como jornalista, cantava, compunha... Violão e baixo, tocava apenas para acompanhar as músicas que cantava. Renato adotou o sobrenome Russo em homenagem ao iluminista suíço Jean-Jacques Rousseau, ao filósofo inglês Bertrand Russell e ao pintor francês Henri Rousseau. À frente da Legião Urbana, mostrou do que uma autêntica banda brasileira de rock é capaz. Com Marcelo Bonfá e Dado Villa-Lobos, foi o responsável por mudar a história da música nacional. Ícone do rock nos anos 1980, foi engolido pelos próprios sonhos. Morreu em 11 de outubro de 1996, encerrando também a parte mais bonita da trajetória da banda.

ANTES DE SER LEGIÃO URBANA

Durante a década de 1970, o Brasil vivia ainda sob a sombra da ditadura militar, que só chegaria ao fim em 1985, com a eleição de Tancredo Neves, candidato da Aliança Democrática (PMDB e Frente Liberal), para a presidência. Jovens questionavam o futuro do país e cantavam canções de protesto. Os que tinham alguma inclinação para o rock'n'roll escolhiam LPs de punk rock para rodar na vitrola. O Aborto Elétrico foi formado por garotos que nasceram carregando consigo ideais anarquistas, propagados por essa nova onda musical que assolava os Estados Unidos e a Inglaterra naquele momento. O som sujo e pesado era influenciado por nomes como Iggy Pop, The Clash e Buzzcocks.

"Começamos o movimento punk sem que ninguém soubesse direito o que ele era e o que significava. Eu, Felipe Lemos e André Pretorius, também do Aborto, acompanhávamos a evolução musical no mundo e nos inspiramos em Sex Pistols, Gang of Four, Public Image. Quando começaram a surgir os punks paulistas, Brasília já tinha os seus e fervilhava com as bandas de rock", disse Renato Russo em entrevista ao jornal *O Globo*, em fevereiro de 1986.

A ideia de seguir tocando sozinho surgiu depois que, durante uma briga, Fê jogou suas baquetas em Renato.

"Faroeste Caboclo" era uma das canções da nova seleção musical de Renato Russo – ou melhor, de O Trovador Solitário: a leveza do repertório à la Bob Dylan e Nick Drake deu cancha ao cantor. O suficiente para convencê-lo de que era música o que ele queria fazer da vida. Em 1982, começou a tocar o novo projeto de banda.

Primeiro, Renato convidou Marcelo Bonfá, baterista que despontava com uma pegada vigorosa entre os músicos autodidatas da "turma dos punks". Bonfá tinha aprendido com o incentivo de Fê, que costumava lhe emprestar suas baquetas nos intervalos dos shows do Aborto Elétrico, banda da qual era fã.

Marcelo Augusto Bonfá nasceu em Itapira, em 30 de janeiro de 1965, mas se mudou para Brasília em 1977, quando o pai, funcionário do Banco do Brasil e professor universitário de sociologia, foi transferido (assim como aconteceu com o pai de Renato). Na cidade natal, localizada no interior do estado de São Paulo, o menino já demonstrava talento tocando instrumentos percussivos nas bandas dos colégios onde estudou. Marcelo sempre teve gosto musical eclético: além da afeição pelo rock que vigorava nos anos 1970, curtia bandas como Led Zeppelin e Black Sabbath, além de Bob Marley, The Carpenters, Kraftwerk e Donna Summer.

A Legião Urbana estava formada, com Renato no teclado e no baixo e Bonfá na bateria, e já tinha até uma música: "Soldados". Com o reforço de Paulo Paulista (tecladista) e Eduardo Paraná (guitarrista), a banda fez uma única apresentação em Patos de Minas, no festival Rock no Parque, com abertura da Plebe Rude. Mas o som estava "progressivo" demais para a dupla que batizou o grupo... Logo após essa passagem por Minas Gerais, Ico Ouro Preto acabou assumindo a guitarra. Ico tocava bem, mas, ao contrário do irmão, Dinho, vocalista do Capital Inicial, tinha pânico de palco e abandonou a ideia de se apresentar no festival da Associação Brasiliense de Odontologia, que aconteceria em março de 1983, em Brasília. Em janeiro, Bonfá convidou Dado Villa-Lobos para assumir o instrumento.

"Fiz uma charge, que entrou no encarte do disco *Que País É Este*, que resume bem esse troca-troca de guitarrista até a chegada do Dado. A gente ainda passou um tempo sem saber se o Dado ia ficar na banda, porque ele tinha planos de estudar no exterior e, logo depois do show, foi visitar o pai fora do Brasil", lembra Bonfá.

Eduardo Dutra Villa-Lobos não carrega esse nome de peso por acaso: é sobrinho-neto do grande compositor brasileiro Heitor Villa-Lobos. Filho de diplomata, o menino nasceu em Bruxelas, em 29 de junho de 1965, durante a estada de seus pais na fria capital da Bélgica. Por causa do trabalho do pai, o senhor Jayme Villa-Lobos, Dado era obrigado a mudar de país a toda hora: antes de chegar a Brasília, em 1970, passou pela Iugoslávia, pelo Uruguai e pela França. Estudava sociologia e ouvia de Johann Sebastian Bach a Rolling Stones, passando por Beatles e Chico Buarque. Quando aceitou substituir Ico e completar a formação da Legião Urbana, já tinha tocado, junto com Bonfá, na banda Dado e o Reino Animal.

Dispostos a ensaiar para o grande evento, os três passaram a se encontrar na casa de Renato constantemente. Nesse momento, começaram a nascer composições que, assim como "Soldados", entrariam no primeiro LP da Legião Urbana, um ano depois. "Geração Coca-Cola" fazia parte do repertório do Aborto Elétrico, mas também foi absorvida pela nova banda. "As músicas que fizemos durante aqueles encontros entraram para o repertório do primeiro disco. 'Petróleo do Futuro', 'Teorema' e 'A Dança', por exemplo... 'Será' é que veio depois, nas idas e vindas para o Rio de Janeiro. 'Por Enquanto' foi a única feita na hora de gravar", conta Dado.

TODAS AS ESTAÇÕES

Este livro narra episódios que vão da criação à gravação dos álbuns da Legião Urbana – do primeiro LP aos discos póstumos, passando pelos trabalhos solo – para contar a história de uma das maiores bandas de rock do Brasil. É o resultado de um trabalho de longa data e do meu envolvimento pessoal com o legado da Legião.

Quando fui convidada pela EMI Music, em 2008, para produzir textos que acompanhariam as reedições em LP e CD dos álbuns de carreira da Legião Urbana, fiquei na dúvida se teria algo mais a acrescentar às maravilhosas histórias já contadas por tantos autores em seus ótimos livros sobre a banda ou sobre seu vocalista, Renato Russo. Mas bastou começar a bateria de entrevistas que me dariam base para a reconstrução de uma história pouco explorada, a da gravação dos discos, para eu lembrar que existem mais coisas entre o céu e a terra do que sonha a nossa vã filosofia. Percebi que iria além do que já havia lido ao invadir, por meio das narrativas que fui coletando durante aquele ano, os estúdios onde Renato Russo, Dado Villa-Lobos, Marcelo Bonfá, Renato Rocha e tantos outros profissionais convidados ou contratados registraram alguns dos maiores clássicos do rock brasileiro. Visitando casas, escritórios, gravadoras e estúdios, descobri que os protagonistas ajudam a relembrar fatos e episódios, mas os coadjuvantes são essenciais para o resgate da memória. E foi com base na fala dos remanescentes da banda e de tantos desses personagens menos solicitados em pesquisas biográficas – entre eles técnicos e engenheiros de som, diretores artísticos, produtores, parceiros, músicos, amigos e fãs – que a história da gravação de cada disco foi contada naquele relançamento de 2010, nos encartes especiais que reproduziam os originais, trazendo meus textos como complemento.

Em 2010, já não se comprava mais disco (físico) como antigamente. Além disso, os preços dessas coleções mais elaboradas não davam livre acesso dos fãs ao novo material. Os LPs e os CDs foram lançados com pompa, elogios da imprensa (inclusive a meus textos) e celebração dos legionários Dado e Bonfá, de seus amigos músicos e de seus fãs com maior poder aquisitivo, mas não alcançaram a massa. Fiquei feliz ao ler, na época, meu nome incluído nas matérias jornalísticas e nos tweets de alguns artistas do meio musical, entre eles o próprio Dado e Rogério Flausino, vocalista do Jota Quest e grande fã da Legião Urbana. Mas, passada a euforia do lançamento, vi esse trabalho ficando cada vez mais inacessível a pessoas com grande interesse no aprofundamento da história da banda. De 2010 em diante, recebi diversos e-mails e mensagens enviadas por meio das redes sociais em que fãs e pesquisadores (inclusive pós-graduandos cujo objeto de estudo era a Legião Urbana ou o rock brasileiro) questionavam se havia alguma forma de poderem ler meus textos. Por não achar ético o envio dos originais, e também incomodada pelo fato de a versão final ter sofrido alterações durante a revisão feita por um profissional contratado pela gravadora (apesar de, na época, eu mesma ter entregado os textos revisados), decidi que era hora de transformar o material em livro. Assim, com o apoio da EMI Music, eu corrigiria os erros eternizados pelo lançamento daquela única edição do projeto e permitiria a todos os fãs descortinarem a intimidade profissional de seus ídolos, adentrando, com a leitura, nas reuniões de decisão sobre cada disco e nos estúdios de gravação de todos eles.

Para a editora LeYa, em 2013, propus a produção de uma discobiografia a partir dos textos já publicados e autorizados pelos remanescentes da banda, pela família de Renato Russo e pelos entrevistados. Na época, ainda se sentia a necessidade de se pedir autorização aos envolvidos na história, assim como entre 2008 e 2010, período em que trabalhei na pesquisa legionária e que se seguiu à polêmica criada por Roberto Carlos em torno das biografias – em 2007, o "Rei" aproveitou-se de uma brecha no artigo 20 do Código Civil[1] para proibir a escrita não autorizada sobre ele. O processo resultou no recolhimento de mais de 10 mil exemplares do livro não autorizado *Roberto Carlos em detalhes*, escrito pelo historiador Paulo Cesar de Araújo e publicado no ano anterior pela editora Planeta. Produtora contratada pela gravadora para me ajudar na pesquisa e na marcação das entrevistas e para me acompanhar nos encontros, a eficientíssima Paula Melo pedia assinatura nos papéis cada vez que fazíamos uma entrevista. Considerado absurdo pela mídia e até por outros artistas – o músico Guttemberg Guarabyra chegou a fazer um documento que proíbe seus herdeiros de censurarem citações sobre ele em biografias –, o episódio levantou uma discussão sobre a importância do trabalho dos pesquisadores e o desrespeito que eles sofrem, e o assunto acabou no Supremo Tribunal Federal (STF).

Enrolados tanto com questões de mercado (a editora) quanto com um mestrado e a escrita de um livro sobre o Rock in Rio ainda não publicado (eu), voltamos a conversar em 2015, ano em que, por unanimidade, o Plenário do STF julgou procedente a Ação Direta de Inconstitucionalidade (ADI) 4815 e declarou inexigível a autorização prévia para a

---

[1] Artigo 20 do Código Civil: "Salvo se autorizadas, ou se necessárias à administração da Justiça ou à manutenção da ordem pública, a divulgação de escritos, a transmissão da palavra, ou a publicação, a exposição ou a utilização da imagem de uma pessoa poderão ser proibidas, a seu requerimento e sem prejuízo da indenização que couber, se lhe atingirem a honra, a boa fama ou a respeitabilidade, ou se se destinarem a fins comerciais."

publicação de biografias.² Seguindo os mandamentos de Renato Russo, que cantava que "disciplina é liberdade" e que declarou em 1996, durante entrevista a Marcelo Fróes para o jornal *International Magazine*, "precisamos de documentadores, precisamos de bibliotecários, precisamos ter o nosso próprio trabalho registrado", negociei o lançamento para 2016, quando lembraríamos tristemente os vinte anos do momento em que nosso mestre saiu de cena, deixando os fãs amparados só por seu legado. Com tudo em ordem, a LeYa comprou minha ideia de manter a chama da Legião Urbana acesa e decidiu apostar nesse formato pouco usual de escrita biográfica: a história da banda é contada aqui por meio da história da gravação de seus discos, incluindo também as coletâneas, os álbuns ao vivo e os trabalhos solo de Renato Russo.

Novas entrevistas foram feitas para essa segunda parte da pesquisa que compôs os dois capítulos finais. Do primeiro ao oitavo, cada capítulo é dedicado a um álbum da Legião Urbana: *Legião Urbana, Dois, Que País É Este 1978/1987, As Quatro Estações, V, O Descobrimento do Brasil, A Tempestade* e *Uma Outra Estação*. O nono capítulo traz as coletâneas (*Música p/ Acampamentos* e *Mais do Mesmo*) e os trabalhos ao vivo (*Acústico MTV – Legião Urbana, Como É que Se Diz Eu Te Amo, As Quatro Estações Ao Vivo* e *Legião Urbana e Paralamas Juntos*), lançados antes e depois da morte do vocalista. O décimo capítulo fala dos projetos paralelos do trio durante o período em que esteve junto, sendo que só Renato Russo lançou discos efetivamente. Foi proposital a opção por contemplar nesse livro apenas álbuns e/ou canções produzidos durante o período em que Renato, Dado e Bonfá caminharam juntos. Por isso a ausência de referências a

---

² Seguindo o voto da relatora, ministra Cármen Lúcia, a decisão dá interpretação conforme a Constituição da República aos artigos 20 e 21 do Código Civil, em consonância com os direitos fundamentais à liberdade de expressão das atividades intelectual, artística, científica e de comunicação, independentemente de censura ou licença de pessoa biografada, relativamente a obras biográficas literárias ou audiovisuais (ou de seus familiares, em caso de pessoas falecidas). Na ADI 4815, a Associação Nacional dos Editores de Livros (ANEL) sustentava que os artigos 20 e 21 do Código Civil conteriam regras incompatíveis com a liberdade de expressão e de informação. O tema foi objeto de audiência pública convocada pela relatora em novembro de 2013, com a participação de dezessete expositores. Disponível em http://www.stf.jus.br/portal/cms/verNoticiaDetalhe.asp?idConteudo=293336.

trabalhos executados por qualquer remanescente da banda após o falecimento do cantor. O guitarrista e o baterista não participaram ativamente de *The Stonewall Celebration Concert*, *Equilíbrio Distante* e *O Último Solo*, mas não só estavam presentes durante o planejamento como foram os principais incentivadores do parceiro e amigo.

Agradeço a Dado, que inclusive me cita nos agradecimentos da reedição lançada pela EMI, pela colaboração e pelo incentivo, principalmente após a decisão de transformar o projeto em livro. Agradeço a Bonfá, pela colaboração e por dar muita bossa à história. Agradeço à família Manfredini, pela confiança no meu trabalho desde o início. Agradeço a todos os entrevistados. Agradeço aos amigos jornalistas Alessandra de Paula e Ricardo Schott, que toparam me auxiliar na marcação das novas entrevistas que fiz em 2016 para produzir os capítulos 9 e 10. E, por fim, agradeço com muito amor no coração à equipe da EMI Music que capitaneou o projeto na época – em especial Luiz Garcia, gerente de marketing estratégico; Paula Melo, queridíssima produtora que me acompanhou durante todo o processo, tornou todas as negociações mais leves e se transformou numa grande amiga; e Belinha Almendra, então assessora de imprensa da gravadora, que sugeriu meu nome após breve conversa sobre o projeto com Jamari França, biógrafo dos Paralamas do Sucesso e crítico musical que acompanhei durante minha adolescência e com quem vim a trabalhar por anos no site do jornal *O Globo*. Desde que nos conhecemos, Jamari sabe que, apesar de minha paixão ser o rock dos anos 1960 e 1970, a música nordestina dos anos 1970 e as cantautoras brasileiras de todos os tempos, a Legião Urbana era minha banda preferida da década em que nasci.

Que as novas histórias sejam um presente para os fãs e para devoradores de biografias musicais. Que elas complementem tudo o que já foi dito e escrito sobre a Legião Urbana. E que satisfaçam o desejo de Renato Russo, se consagrando como mais um documento de resgate da memória e de celebração da história da música brasileira.

DISCOS

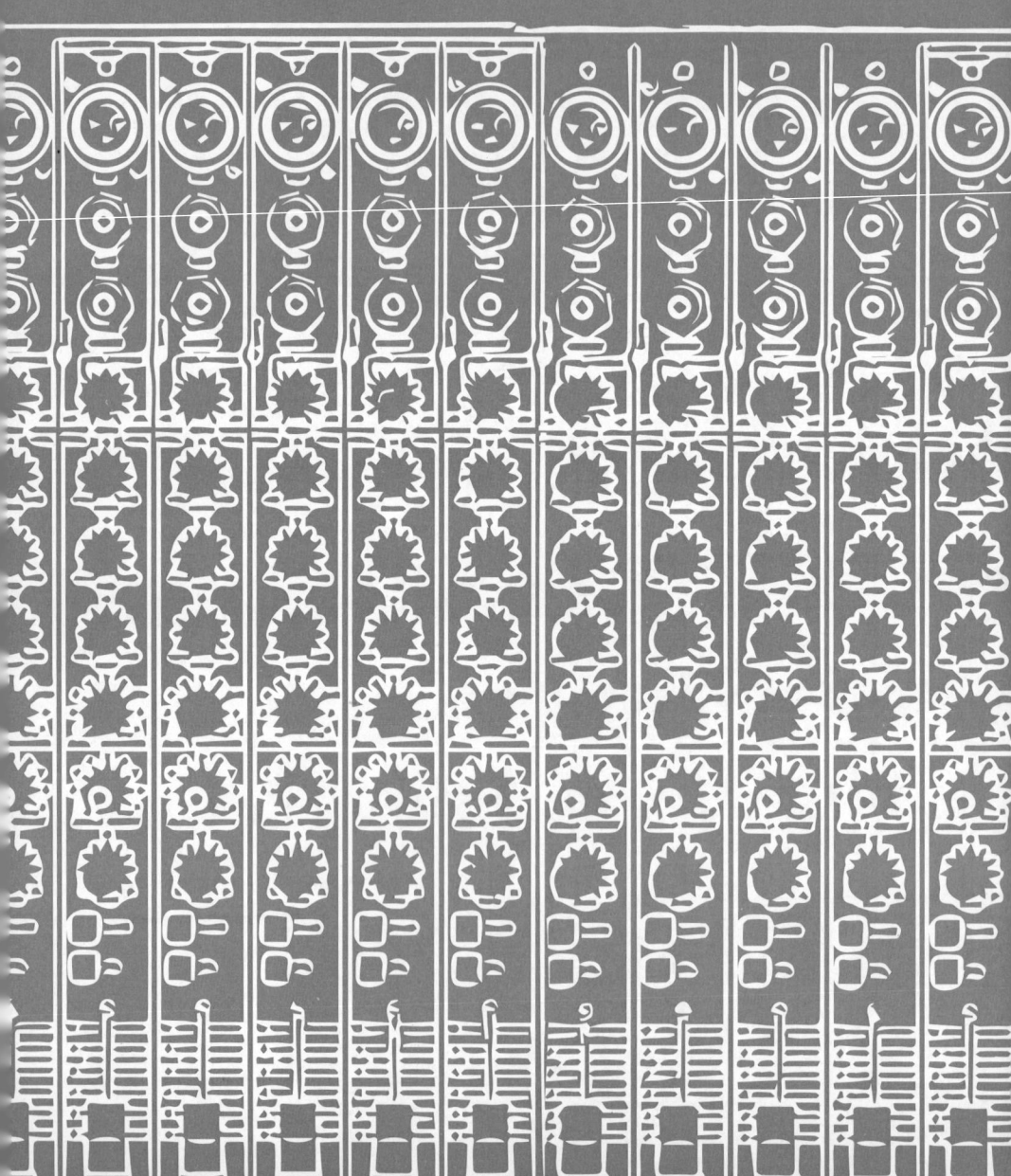

DE ESTÚDIO

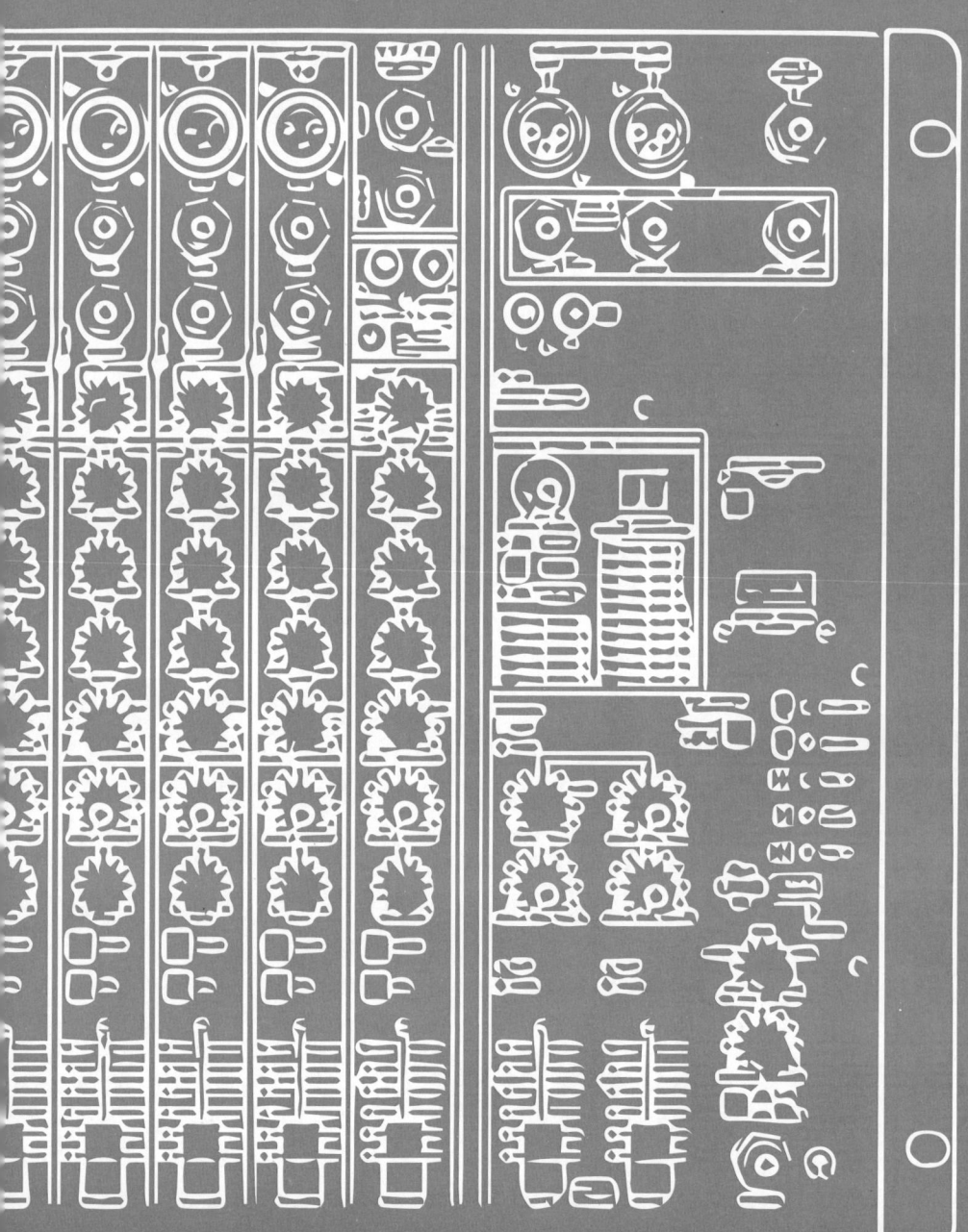

LEGIÃO URBANA

1985

A FITA K-7

Além de Fê, Flávio Lemos e Dinho Ouro Preto (que mais tarde formariam o Capital Inicial), os integrantes da banda Os Paralamas do Sucesso também eram muito próximos de Renato. A primeira demo do trovador foi gravada em Brasília, na casa de Pedro Ribeiro, irmão de Bi Ribeiro, baixista que acompanhava Herbert Vianna (guitarra e vocal) e João Barone (bateria). Em 1983, o trio assinou contrato com a EMI-Odeon, e a essa altura já estava em processo de produção do álbum de estreia, *Cinema Mudo*, no Rio de Janeiro. A música mais rock'n'roll do repertório, "Química", levava a assinatura de Renato Russo. Ela estava no repertório do show do Aborto Elétrico e no imaginário de Herbert. Jorge Davidson, então gerente artístico do departamento internacional da EMI-Odeon, que, no Brasil, já tinha sido responsável pelo lançamento da Blitz, banda de Evandro Mesquita, quis conhecer no ato aquela tal Legião Urbana. Ainda mais depois que Herbert confessou, ao falar sobre Renato: "Ele é tudo o que eu gostaria de ser."

"Na época, gravávamos em fita K-7. Era aquela Basf vermelha e preta. Fiz duas cópias das músicas do Renato. Uma chegou a ir para Paris, quando o Ico embarcou. A outra dei para o Bi. Ele já morava no Rio nessa época, mas de vez em quando voltava para passar temporadas em Brasília. Bi adorava 'Química' e os Paralamas levaram essa música para o disco. Jorge ficou doido quando ouviu a K-7 do Renato", lembra Pedro Ribeiro.

Jorge Davidson era um pouco mais velho e tinha um pouco mais de responsabilidade do que essa garotada. Nascido em 28 de maio de 1950, na Bahia, mudou-se para o Rio de Janeiro logo cedo e cursou a faculdade de comunicação social. Começou a trabalhar na EMI como *label manager* (gerente de produto) em 1976. Com 30 e poucos anos nessa época, percebeu o surgimento de um movimento de bandas influenciadas por aquelas que ele ouvia: The Clash, The Police, The Cure, Duran Duran, Stranglers e Gang of Four. Davidson acertou no alvo duas vezes, ao indicar aos executivos que cuidavam do elenco nacional da gravadora as bandas Blitz e Os Paralamas do Sucesso, dois sucessos quase que imediatos. Em meio a mudanças na estrutura da EMI-Odeon, Jorge foi promovido a diretor artístico do departamento nacional. No novo setor, a Legião Urbana foi a primeira banda que ele convidou para assinar contrato com a multinacional.

O segundo contato de Jorge Davidson com a Legião Urbana após ouvir "Química" aconteceu no estúdio da EMI-Odeon. Marcelo Bonfá foi convidado por Herbert para fazer um solo de assovio em "Vovó Ondina É Gente Fina", música que Os Paralamas do Sucesso incluiriam em seu primeiro disco. Mas, nervoso e com a "boca seca", o baterista de Brasília, sempre muito exigente, não conseguiu gravar uma performance que o agradasse.

Jorge continuou com o vozeirão que ouviu na K-7 ecoando nos seus sonhos. "Liguei para Brasília, porque ouvi naquela fita um músico razoável, mas um excelente cantor, com letras impressionantes. Falei diretamente com o Renato e convidei a banda para vir ao Rio gravar um compacto. Ele não foi humilde nem se emocionou, mas se mostrou gentil e agradável. Fez uma série de perguntas, como se já fosse um artista em negociação, e aceitou o convite", conta Davidson.

MAIS DIFÍCIL DO QUE SE IMAGINAVA

No fim de 1983, Renato, Dado e Marcelo desembarcaram na Cidade Maravilhosa e foram levados diretamente para o Hotel Bandeirantes, localizado na rua Barata Ribeiro, em Copacabana. Desde o primeiro momento, foram tratados a pão de ló por Jorge Davidson, que convidou Marcelo Sussekind para produzir o disquinho com duas músicas. O guitarrista do grupo Herva Doce e produtor do primeiro LP dos Paralamas do Sucesso disse "não", abrindo caminho para Rick Ferreira, que tocava guitarra com Raul Seixas e vislumbrava uma carreira de produtor.

"O Renato chegava na minha sala falando: 'Pôxa, o cara não conhece o U2.' E Rick vinha, em seguida: 'Esses caras não sabem tocar.' Eu pedia calma e dizia para um que o Rick era um grande músico e, para o outro, que o Renato era um gênio com um material maravilhoso. 'Geração Coca-Cola' era uma coisa que fugia ao padrão da época, e eu falava que era música para nossos filhos consumirem", relembra Davidson.

Músico virtuoso, Rick Ferreira não conseguiu fazer com que os meninos ficassem à vontade para tocar do jeito que sabiam. "Ele queria fazer 'Geração Coca-Cola' virar um country. A gente falou que não sabia fazer essas coisas, só punk rock. Aí, ele dançou e nós tivemos que voltar para Brasília", conta Bonfá.

Mas, antes de "abandonar" o estúdio localizado na rua Mena Barreto, em Botafogo, na Zona Sul do Rio, Renato, Dado e Marcelo esbarraram com Mayrton Bahia. O então gerente de repertório da EMI-Odeon impediu que os meninos comprassem passagens de volta no impulso e varou a noite conversando com eles. Mayrton explicou como a indústria da música funcionava e como eles deveriam se comportar quando surgisse um percalço. Embalados por diversos tipos de entorpecentes, selaram um "pacto ético", como definiria o produtor, que, mais tarde, assumiria outros discos da banda: "Eu me comprometi ali a lutar pelos ideais da Legião Urbana junto à gravadora."

Os músicos foram dar um tempo em Brasília. Mas, dois meses depois, voltaram ao Hotel Bandeirantes, onde encontraram pela primeira vez o ídolo Raul Seixas. O Maluco Beleza estava hospedado no mesmo andar que Renato Russo. O trio comemorava também o fato de, dessa vez, estar na cidade para registrar um disco inteiro e não mais apenas um compacto. Outra boa notícia dizia respeito à produção do LP: no comando estaria José Emilio Rondeau.

Na época marido de Ana Maria Bahiana, jornalista ligada ao rock e muito admirada por Renato, Dado e Marcelo, José Emilio tinha em seu currículo trabalhos na reportagem do *Jornal do Brasil*, do jornal *O Globo* e do *Jornal da Música*. Fazia pouco tempo, se metia também com videoclipes – nessa época, dirigia alguns dos exibidos no *Fantástico*, programa dominical da TV Globo. Como produtor, arriscou-se junto ao Camisa de Vênus, após conhecer o vocalista Marcelo Nova durante uma viagem a São Paulo para ver o Queen, em 1981. Acostumado a ouvir discos o tempo todo, achou que seria capaz de fazer esse tipo de trabalho com bandas que o agradassem, para acompanhar de perto a história do rock no Brasil, que, segundo ele acreditava, estava passando por uma revolução.

A vontade de repetir a dose veio, então, quando o amigo jornalista, ou melhor, o *fanzineiro* Tom Leão lhe apresentou uma fita com as músicas da Legião Urbana. José Emilio tinha 27 anos e nenhum medo de ouvir um "não": "Quando eu soube do namoro da banda com a EMI-Odeon, bati na porta da gravadora na maior cara de pau e disse: 'Se vocês contratarem a Legião, quero produzir o disco.'"

De Brasília, Renato ligava constantemente para Davidson, que admirava cada vez mais a genialidade do músico. Eram horas de bate-papo. Com a decisão de topar a proposta de José Emilio, o diretor artístico combinou mais uma ida do trio ao Rio de Janeiro. Só que, dessa vez, a Legião Urbana contava com um quarto elemento: Renato Rocha assumiu o baixo depois que Renato Russo cortou os pulsos, foi parar no hospital e perdeu parte dos movimentos das mãos.

Tentativa de suicídio? Não. Foi apenas uma forma de dizer: "Eu não quero mais tocar baixo. Prefiro cantar e me mexer no palco." Com forte tendência à depressão e muito afeito ao álcool, Russo apresentava mudanças de humor constantes e usava códigos para expressar suas vontades e seus desejos. Acredita-se que uma decepção amorosa possa ter colaborado para ele mergulhar na bebida e cometer essa "loucura".

Renato da Silva Rocha, mais conhecido como Negrete, era um rapaz forte e bonito, nascido em 27 de maio de 1961. Ao contrário dos outros integrantes, estava acostumado com a vida simples que sua família de classe média baixa pôde lhe dar. Também gostava de beber e não tinha muita consciência do que significava a palavra "responsabilidade". Horário não era com ele. Mas isso se agravaria mais tarde, durante as gravações do quarto disco da banda, quando acabou expulso. Para o primeiro disco, ele estava presente de corpo. De alma, nem tanto.

"Ele sempre chegava atrasado. Desde que começamos a ensaiar, eu achava estranho tocar com ele. Bateria e baixo precisam dialogar, e era como se falássemos línguas diferentes", lamenta Bonfá.

Mas já estava definido que seria assim: Renato Russo nos vocais e, às vezes, gravando piano e/ou pegando no violão para ensinar algo novo que surgisse em sua mente. O Estúdio 2 da EMI-Odeon – apelidado internamente de Abbey Road – era menor que o Estúdio 1, porém mais aconchegante, e estava reservado para o agora quarteto. Lá, os novatos teriam liberdade para criar arranjos e pensar em letras, e ainda aproveitariam para conhecer o processo desde a composição até a feitura daquela linda bolacha de doze polegadas que eles tanto gostavam de ver girar no toca-discos e, claro, ouvir.

PISANDO EM OVOS

José Emilio Rondeau estava viajando quando a Legião Urbana entrou em estúdio. Quando voltou, ouviu um recado em sua secretária eletrônica com um aviso de que os meninos tinham começado os trabalhos. Correu para o estúdio, localizado na rua Mena Barreto, e, lá chegando, apresentou-se aos novos companheiros, que seriam seus pupilos se a diferença de idade não fosse tão pouca. "A gente se conheceu assim, no susto, com todo mundo meio nervoso, tateando. Logo descobri que seria maravilhoso trabalhar com eles, pois carregavam muitas das mesmas referências musicais que eu. E tinham paciência comigo, assim como eu com eles. Eu só não sabia que havia uma história prévia deles com outros produtores", comenta Rondeau.

Renato Russo era democrático: na banda, todos tinham que opinar e qualquer decisão devia ser tomada em conjunto. O vocalista era a cabeça pensante da Legião Urbana, mas os demais integrantes carregavam o mesmo grau de importância, dentro ou fora do estúdio, lembra José Emilio: "Ele sabia quando o Bonfá não ia gostar, sugeria que falasse com o Dado, dizia que seria o Negrete quem responderia tal coisa. O Renato delegava."

Dado era sério e responsável, e Bonfá não tinha medo de dizer "não" quando algo não lhe agradava ou ia contra os interesses da banda. "Eu era mais velho e estava na defensiva, querendo fazer valer minha autoridade de produtor. Fiz muita besteira por causa disso. E acabei brigando muito com o Bonfá. Mas depois nos desculpamos um com o outro", conta Rondeau.

Foi durante uma dessas brigas que o jornalista percebeu que o trio temia acabar dispensado pela gravadora depois de tantas exigências em relação à produção. Durante a gravação de "Ainda É Cedo", José Emilio sugeriu algo que desagradou Bonfá. Iniciou-se uma discussão e o produtor resolveu ir embora: "Tchau, pessoal. Não vou fazer mais nada. Fiquem sozinhos! Não aguento mais!", bradou José Emilio, já saindo do estúdio. Imediatamente – e em tempo – Renato falou para os companheiros: "Se ele for embora, a gente vai também." E correu com Bonfá para alcançar o roqueiro mais experiente, que a essa altura já adentrava seu Fiat 147 prata. Debaixo da chuva, o vocalista e o baterista imploraram. E José Emilio voltou. Como numa cena de cinema.

DENTRO DO ESTÚDIO

Grande parte das canções já existia quando a banda começou a gravar. *Legião Urbana* era para ser um disco simples, com poucas firulas musicais e muita autenticidade. Na tabela que continha a escalação dos técnicos de som, onde constava "Estúdio 2" estava o nome de Amaro Moço, pupilo do grande Nivaldo Duarte, que trabalhou em LPs de nomes como Clara Nunes, Milton Nascimento, Luiz Ayrão e Agnaldo Timóteo. Amaro, que começou como auxiliar de estúdio, já tinha muita experiência com música brasileira, principalmente a de Ângela Maria, Reginaldo Rossi, Dorival Caymmi e de todos os filhos do clã (ele era um dos preferidos de Nana). Tirar um bom resultado de uma banda de rock'n'roll não parecia ser um desafio insuperável.

Amaro ouviu dizer que a banda já tinha dado alteração com produtores que passaram por ali antes de José Emilio, mas, muito discreto e gentil, nunca perguntou nem disse nada sobre o assunto. Sua função era gravar, e ele sabia muito bem disso. "Nunca juntei amizade com trabalho. Na época, eu tinha trinta e poucos anos e eles me chamavam de Tio Amaro, porque eu dava dura de vez em quando. Mas era só para organizar, para pedir que chegassem no horário marcado e coisas assim. A gente saía para tomar refrigerante e comer sanduíche... De vez em quando, o Renato me parava no corredor, com uma letra na mão, e pedia para eu ler. Aí, perguntava: 'Você gosta? O que acha?'", lembra Amaro.

Renato cantava com dois microfones U47 valvulados, um à frente da boca e um vindo do alto, que pegava um pouco do *reverb*.[3] A bateria era gravada por microfones PZM-70, alugados, e espalhados estrategicamente por paredes e vidros do estúdio: eles ajudavam na captação do som do ambiente. Todo e qualquer preciosismo era com Amaro. "Comecei a brincar com as possibilidades, sabendo que eles não queriam a música nem muito crua nem muito plástica. Se o agudo fosse muito forte, o microfone de cima minimizava, por exemplo", conta ele.

As ideias ficavam com José Emilio. E a Mayrton cabia o salvamento, de vez em quando. Foi ele quem cortou "Perdidos no Espaço" com uma lâmina de barbear, depois de muitas tentativas de acerto dentro do estúdio. O produtor iniciou a era do "copia e cola" artesanal. "Foi com a Legião que comecei a fazer isso, de cortar e colar trechos de músicas", explica Mayrton. "A partir do segundo disco, quando passei a produzi-los, eu gravava absolutamente tudo o que eles faziam dentro do estúdio, até mesmo quando eram só ideias. Aí, quando um detalhe

---

[3] "Reverberação" é um efeito gerado por ondas sonoras muito usado nos processos de mixagem de músicas, mas nesse caso a ideia foi captar o som orgânico por meio do microfone estrategicamente posicionado.

não saía bem numa gravação, eu cortava de uma fita e colava ali, por cima da outra. Era a lâmina de barbear e um durex especial. Procurava o trecho pelo bumbo da bateria ou por um grito e colava. Eram horas picotando fitinhas."

Renato, o Rocha, ficava na dele, não emitia muitas opiniões sobre as músicas, tentando sempre seguir as direções dadas pelo Russo. Quando não conseguia executar alguma linha de baixo proposta pelos outros, observava atentamente os movimentos das mãos do "chefe" da Legião Urbana. Mas o baixista recém-convidado para integrar a banda também fazia bonito quando estava inspirado: ele assinou o arranjo de "A Dança", propondo uma solução à música, composta pelo trio antes da chegada ao Rio. Bonfá também deu trabalho, principalmente quando cismava de abrir o chimbal (prato da bateria que tem a função de conduzir o ritmo) no meio da música.

"O homem gostava de sujar bem o som, o que virou uma das marcas registradas da Legião Urbana nesse período. Eu dava ideia de fazer as viradas limpinhas e de gravar as peças separadamente, mas ele abria o chimbal mesmo, mostrando que sabia o que estava fazendo. A gente tinha que falar para segurar a onda. Mas isso é normal. Ainda mais quando se trata do primeiro disco. Eram meninos dentro de um estúdio, com capacidade musical, mas aprendendo", lembra Amaro.

Todos estavam aprendendo a transpor para as fitas o que já sabiam fazer nos palcos. Era energia pura. "O som era processado dentro da sala técnica e enviado de volta para os fones de ouvido que os músicos usavam durante as gravações. Naquela época, o som da bateria nos estúdios brasileiros era muito ruim, bem distante daquilo que a Legião queria", diz Bonfá.

Aprender leva tempo, e não foi de uma hora para a outra que o disco ficou pronto. Os rapazes do Planalto Central penaram com algumas canções. Enquanto Renato esbravejava ("Não quero som de FM, quero minhas músicas tocando nas AMs"), Amaro e José Emilio pensavam soluções para "Será", que o técnico não conseguiu mixar. Acabou pedindo socorro a Renato Luiz, outro técnico da EMI-Odeon que já estava acostumado a trabalhar com bandas de rock. "Perdidos no Espaço" também demorou a satisfazer e só conseguiu a simpatia de todos depois da forcinha de Mayrton Bahia.

"Não encontrávamos a estrutura e havia momentos em que a inexperiência falava muito alto. A gente pedia pizza, dava um tempo, mas a música não saía. Chamamos o Mayrton, que falou algo como: 'Faz ABBC ABAB' [referente à estrutura]. E tudo recomeçava", recorda Rondeau.

Para ele, o que faltou no álbum foi um pouco mais de eco na voz – coisa que Renato Russo abominava – e um som mais sujo: "A gente tentou fazer com que soasse como se o disco tivesse sido gravado com todo mundo junto, tocando ao vivo. Mas só conseguimos isso em 'Petróleo do Futuro'. Eles gravaram todos numa sala, com amplificadores ligados, de frente um para o outro, com microfonia e vazamento de bateria. Para mim, é o som que o disco todo deveria ter. Mas o Renato não gostava de eco. Falei que ficava melhor com um pouquinho mais, mas ele não queria."

A menina dos olhos dos executivos da gravadora era "Geração Coca-Cola", que Jorge Davidson apresentou numa das reuniões. O que a banda não sabia é que o diretor artístico mostrou aos colegas apenas a letra, e não a melodia da canção, um rock "pesado" e contestador que podia ameaçar o contrato da banda com a multinacional, que detinha em seu catálogo, nessa época, artistas como Beatles, Queen, Paul McCartney, Pink Floyd, David Bowie, Beto Guedes, Clara Nunes, Gonzaguinha, 14 Bis, entre outros. A música foi a última a ficar pronta.

Cheia de traumas, "Geração Coca-Cola" não tomava forma de jeito nenhum. O agravante era o fato de a gravadora ainda esperar que a canção se transformasse num folk ou em algo mais palatável para a indústria (leia-se radiofônico). A sugestão de Davidson era gravar à la Bob Seger, com violões melódicos e sem pancadaria. A Legião Urbana preferia tocá-la como sempre fez. Rondeau tentava um meio-termo e chegou a pedir para Bonfá fazer a bateria de um jeito, mas o baterista se negou. Dado também não quis usar violões, já que seu negócio era guitarra. Tentou-se gravar de todas as maneiras, com debohes e até como se fosse para uma festa, ao estilo "Whisky a Go Go". Nada.

"Não se podia usar distorção na guitarra porque as rádios não tocariam, mas era o que sabíamos fazer. Muita gente ajudou a deixar a música mais apropriada. A coisa foi tomando rumo e ficou menos crua, mas totalmente fiel ao que a gente queria", comenta Dado.

Um dia, a música nasceu, com Renato cantando e dançando como se estivesse em cima de um palco. *Legião Urbana* estava, enfim, pronto para alçar o quarteto à fama. "O nosso primeiro LP definiu bem um estilo de trabalho dentro da linha rebelde dos punks, porque naquela época o que mais queríamos era dizer o que alguns não podiam ouvir e o que outros não podiam dizer", declarou o vocalista anos mais tarde, em 1989, durante entrevista ao jornal *O Dia*.

Legião Urbana saiu em janeiro de 1985, sem um single, e talvez por isso tenha demorado a vingar. "Será" foi a primeira música a tocar nas rádios, em junho do mesmo ano. Uma a uma, as canções foram ficando mais conhecidas e o disco caiu no gosto popular.

"Muitos disseram que nosso primeiro disco é pessimista, político, pesado e negativo. Eu não acho, porque são apenas comentários de coisas da vida. 'Será' é uma música esperançosa, 'Geração Coca-Cola' aponta o dedo porque é irônica, e 'Por Enquanto' fala de saudade, da coisa do amor. 'O Reggae' tem uma letra violenta sobre o sistema educacional e a hipocrisia em geral. Embora as letras não ofereçam soluções e *happy ends*, não acho que sejam pessimistas. É um reflexo do que a gente vive", declarou Renato Russo, dois anos depois.

REPERTÓRIO

faixa	título	composição	duração
1	"Será"	Dado Villa-Lobos, Marcelo Bonfá, Renato Russo	02:30
2	"A Dança"	Dado Villa-Lobos, Marcelo Bonfá, Renato Russo; arranjo: Renato Rocha	04:01
3	"Petróleo do Futuro"	Dado Villa-Lobos, Renato Russo	03:02
4	"Ainda É Cedo"	Dado Villa-Lobos, Marcelo Bonfá, Renato Russo, Ico Ouro Preto	03:57
5	"Perdidos no Espaço"	Dado Villa-Lobos, Marcelo Bonfá, Renato Russo	02:57
6	"Geração Coca-Cola"	Renato Russo	02:22
7	"O Reggae"	Marcelo Bonfá, Renato Russo	03:33
8	"Baader-Meinhof Blues"	Dado Villa-Lobos, Marcelo Bonfá, Renato Russo	03:27
9	"Soldados"	Marcelo Bonfá, Renato Russo	04:50
10	"Teorema"	Dado Villa-Lobos, Marcelo Bonfá, Renato Russo	03:06
11	"Por Enquanto"	Renato Russo	03:16

DOIS

1986

Hora de voltar ao estúdio. Num tempo em que não havia internet e todo o trabalho de divulgação acontecia de forma mais lenta, *Legião Urbana*, o primeiro disco da banda, ainda ecoava nas rádios do país. A EMI-Odeon convidou os músicos a pensarem no álbum que o sucederia. Renato Russo, Dado Villa-Lobos, Marcelo Bonfá e Renato Rocha só perceberam que não estavam preparados para lançar logo um novo produto depois de alguns dias dentro do Estúdio 2 da gravadora: em dezembro de 1985, a banda passou duas semanas trabalhando nas músicas novas, o que foi chamado pelos integrantes de "pré-produção". *Dois*, mais "intimista", sairia em julho de 1986 – quase dois anos depois do fim das gravações do álbum de estreia da Legião Urbana, que chegou às lojas em janeiro de 1985.

"Ao passo que estamos nos distanciando do referencial externo – governo, política, Estado, poluição –, neste segundo a gente está superinteriorizando. Não temos mais músicas como 'Soldados' e 'O Reggae', porque a gente já falou daquilo ali. Não vou ficar a vida inteira falando da escola. Agora estamos falando do relacionamento emocional e afetivo das pessoas. No primeiro disco, a gente teve que bater na porta com muita força. Com o segundo, a gente pode falar as coisas sem precisar ficar gritando, porque a porta já está aberta", declarou Renato Russo após o lançamento de *Dois*.

Mas, antes que Renato, o Russo, tivesse noção de como seria o resultado dessas gravações, bateu nele a "síndrome do segundo disco", como definiria Dado mais tarde. "O primeiro deu tão certo que criou uma espécie de problema para o segundo. Ele foi escolhido o melhor disco pela crítica, a gente ficou mais imune na discussão da MPB com o rock e todos gostam da gente, os caras do heavy metal, os punks e os que ouvem música de novela", declarou Renato Russo.

Para ele, aquele deveria ser o LP derradeiro: se seguisse os passos do anterior, que até ali havia vendido cerca de 100 mil cópias, a banda conseguiria se firmar no mercado fonográfico. "Ele acreditava que tínhamos que fazer uma obra-prima, e, para isso, criou um plano mirabolante. Renato escreveu tudo num caderno: como seria o disco, faixa a faixa, e como ele deveria ser gravado. O primeiro foi bem aceito e teve boa vendagem e execução em rádios, então, esse tinha que superar", lembra Dado.

Como não se pode prever tudo na vida, as coisas não saíram como Renato esperava. O trabalho dentro do estúdio era muito mais do que simplesmente seguir um manual. E durou muito mais tempo do que o previsto. A banda teve a sorte de poder contar com a equipe da gravadora, que fazia todas as vontades dos jovens vindos de Brasília. Jorge Davidson lembra que era comum os artistas bem-sucedidos gravarem um LP por ano: "Raros aqueles que tinham um hiato maior entre um disco e outro." Mas, para ele, a Legião Urbana estava com a bola cheia e poderia ir além, levando o tempo que quisesse.

Ainda está em sua memória o jeito como foi decidido que o produtor de *Dois* seria Mayrton Bahia. "A gravadora não tinha um elenco jovem. Os mais novos eram Dalto, 14 Bis e Beto Guedes. Mayrton até então trabalhava como engenheiro de som ou produtor desses 'jovens' da EMI", conta Jorge. Por ser produtor contratado da companhia, Mayrton passou a ser escalado pelo diretor artístico para trabalhar com essa turma que estava começando. "Se chegasse um novo artista, era do Mayrton", completa Davidson.

Mayrton Bahia começou na EMI-Odeon como gerente de repertório, mas começou a fazer as vezes de produtor quando via que um "incêndio" ia se alastrar do estúdio até a sede da gravadora, na rua Mena Barreto. Subordinado a Jorge, ele ajudava a coordenar produtores de discos de artistas que estavam no elenco do diretor artístico. "Nessa época, eu praticamente morava no estúdio. Tinha que produzir o que era da minha responsabilidade e tinha que apagar o fogo em outros estúdios", conta.

AS IDEIAS PARA O NOVO DISCO

O produtor só não esperava que a crise não tivesse a ver com falta de experiência... O problema era a inspiração. A banda entrou em estúdio no início de 1986, deixando a sensação de que não sairia mais pelos próximos meses. "A gravadora fechava o estúdio e nós ficávamos lá, compondo. Foi muito diferente do que rolou na época do primeiro LP, que foi feito como um disco de banda de garagem. O processo de composição era mais complexo. Lembro de ver o Renato tentando gravar 'Por Enquanto' e só conseguindo às três horas da manhã", conta Bonfá.

Renato Russo encasquetou com as bases. Achou que era hora de usar mais violões. Deu a Dado, então, uma fita K-7 com clássicos de Paul McCartney, Cat Stevens, George Harrison, entre outros. "Havia músicas, como 'Andrea Doria', que não conseguíamos fechar. Nunca ficava como queríamos. Aí, descobríamos depois que a liga era justamente dada pelo violão", lembra o guitarrista.

O violão de Dado deu a "Andrea Doria" algo que a canção não tinha em seu primeiro "esboço" de gravação: dinâmica. Claro que o quarteto de Brasília não estava exatamente seguindo um caminho fácil e lógico quando descobriu que o instrumento ajudaria a mudar a cara sem graça que a música tinha até ali. Foi preciso uma voz experiente dar o sinal. Amaro Moço, técnico de som da EMI-Odeon, que já tinha trabalhado com a banda no álbum de estreia, sabia como resolver pepinos que pareciam não ter solução. "'Andrea Doria' era linear, então, enquanto eles tocavam, eu ficava procurando um efeito ali, outro aqui... Mas nada dava certo! Tive que falar com eles: 'Só tem uma forma... Escolham trechos da música e toquem com mais leveza, para dar vida.' Aí, ela começou a aparecer", lembra Amaro.

"Andrea Doria" surgiu a partir de dois acordes tocados despretensiosamente por Bonfá na guitarra. Mas a canção teve que ser alterada três vezes. "Como as músicas iam aparecendo enquanto a gente estava ali, no estúdio, acontecia de elas mudarem. Às vezes, entrava o teclado e tinha que mudar a guitarra. Ou surgia uma determinada ideia de solo e eu mudava a linha vocal", comentou Russo após o fim das gravações.

No embalo desse processo, Dado gravou muitas guitarras antes de saber como seriam os vocais… E regravou muitas delas depois. "Tive que fazer 'Fábrica' toda de novo", comentou ele, na época.

O CAMINHO TORTUOSO DA COMPOSIÇÃO

O processo de composição da Legião Urbana era "inusitado", como define Mayrton Bahia: "Era comum eles chegarem com a linha de baixo e a bateria prontas, mas sem melodia alguma. Às vezes, vinham com esboços e trabalhavam lentamente em cima daquilo. E às vezes iam rápido demais. Tive que esquecer muito do que sabia para trabalhar com a banda." As ideias, na maioria das vezes, chegavam soltas ao estúdio. Fragmentos que podiam ser a primeira, a segunda ou qualquer outra parte da música viravam um drama, porque o importante era montar uma melodia inteira.

"Renato [Russo] escrevia uma letra livremente, tentando manter o ritmo e a métrica. Aí, ele pegava aquilo e cantava por cima da base instrumental já feita. A melodia ia surgindo num processo totalmente diferente do que eu estava acostumado", comenta Mayrton.

Dessa forma, apareceram, pouco a pouco, "Fábrica", "Quase sem Querer"… Esta última ganhou de presente sobras de músicas. Parece proposital, mas o bandolim e alguns trechos finais foram colados ao que já tinha sido gravado.

"Lembro que 'Tempo Perdido' já estava no nosso repertório ao vivo", diz Dado. O disco tem apenas uma canção que não foi gravada por Amaro Moço: "Eu tive que viajar e, quando voltei, 'Eduardo e Mônica' estava pronta." Sérgio Bittencourt, outro técnico de som contratado da EMI-Odeon, fez o trabalho.

Para adicionar a esse repertório "Daniel na Cova dos Leões", que já existia desde as gravações do primeiro álbum, Renato Russo se inspirou numa carta de Mayrton. Num momento em que viu o vocalista em crise, sentindo-se pressionado (ou pressionando a si mesmo), o produtor escreveu para Renato. "Ele trouxe a letra em forma de livro, com título e subtítulo, escrita à mão. Era enorme e ele me deu de presente. Fiquei feliz por saber que nossas conversas estavam dando eco", diz Mayrton, outro funcionário da EMI que, assim como Amaro, não queria ver os músicos envolvidos em confusão.

Renato Russo não sabia beber. Saía do estúdio para ir ao bar da esquina, porque muitas vezes não segurava a onda sóbrio. "Havia dias em que ele saía para comprar conhaque e alguém tinha que ir lá resgatá-lo", lembra Jorge Davidson, que também se mantinha sempre preocupado com "seus" meninos. Na época das gravações do primeiro álbum da Legião Urbana, Renato chegou a ser encontrado por funcionários da EMI-Odeon deitado com os mendigos na frente do prédio da gravadora: empolgado e/ou amedrontado com a iminência de ficar famoso, o vocalista comprou comida e bebida e ofereceu àqueles homens que moravam na rua. Inspirado pelo polêmico disco *Beggars Banquet*, dos Rolling Stones, que teve a capa (um banheiro público todo pichado) censurada, o solidário Russo promoveu um verdadeiro "banquete para os mendigos".

"Daniel na Cova dos Leões" leva também a assinatura de Renato Rocha, que nesse álbum teve a oportunidade de mostrar mais o seu potencial. "Eu toco teclado em 'Acrilic on Canvas'. É bem simples, a gente fez no estúdio mesmo, quando já estava gravando a música. Como já toquei acordeom e flauta tempos atrás, fui tendo ideias para este disco. Dado, Bonfá e Renato também tiveram boas ideias. Tudo no improviso. Acho que depois de estar um certo tempo tocando juntos, fomos descobrindo novos campos", comentou Renato Rocha, na época do lançamento de *Dois*.

"Acrilic on Canvas" ganhou de presente, também, uma bateria com efeitos. "A música era reta e a gente não conhecia o vocal, porque não tinha letra. Falei: 'Vamos dar uma guinada e voltar, só para acordar o cara que está ouvindo.' Aí, ficou com uma ponte, que quase saiu quando chegaram os vocais, mas conseguimos manter. O Renato vem cantando, aí, de repente, a música quebra e, depois, volta", diz Bonfá.

"'Índios'" foi a última a acontecer. Com uma letra muito maior do que a "levada", que já estava pronta, Renato Russo não conseguia encaixar as palavras na melodia. Tentou cantar, primeiro. Na segunda tentativa, começou a recitar: "Quem me dera ao menos uma vez..." Mas ainda assim as palavras não couberam. Mayrton Bahia e Amaro Moço tentaram mais de dez vezes, e tudo ia sendo gravado. O vocalista se desesperou: "Isso não dá! Essa letra não deu e não vai dar." Produtor e técnico voltaram aos recortes e às colagens, trabalho que aprenderam a fazer na época do primeiro disco e que, com a Legião Urbana, se tornou recurso constante.

"Em "Índios", o mantra é feito através do teclado. Então, a gente usa o padrão da repetição e, em cima disso, trabalha o arranjo, a harmonia das linhas vocais e o diálogo entre os instrumentos", comentou Renato. "Por causa da estrada, a gente aprendeu a tocar um pouco melhor. Duas notas era legal, mas a gente já sabe tocar oito notas agora."

A guitarra de Dado não teve vez em "'Índios'": "Caberia a guitarra, mas a música já estava muito preenchida com os teclados." A segunda versão, na qual Renato Russo recitou, foi a que ficou. Para terminar, Dado colocou o violão e um sintetizador foi usado para fazer o barulho de vento.

A DIFÍCIL ARTE DE MIXAR

Nada foi muito fácil durante a produção de *Dois*. A mixagem não podia ter sido diferente. Gravado em dezesseis canais, o álbum soa cru, mas é repleto de texturas sonoras. Em cada canal havia milhares de coisas, diversos instrumentos, muito a ouvir e estudar. Mayrton e Amaro suaram a camisa. Se um artista levava cerca de seis horas para mixar cada música, a Legião gastava de doze horas para cima. Mayrton Bahia tinha a seu lado Carlos Savalla, assistente de produção.

"A gente encontrava uma viola e um vocal no mesmo canal, e aí tinha que desligar um para equalizar o outro. O bumbo era gravado num canal, e o tom-tom, em outro. Uma parte do violão podia ficar legal ali naquele canal, mas, em outro, a segunda parte ficava melhor. Então, eu não apagava nada e ia selecionando os trechos depois. Enchia de fita-crepe com anotações e ia pedindo ajuda: às vezes, eram quatro, seis mãos mixando uma música", conta o produtor.

Dois chegou às lojas em julho de 1986. No encarte, uma foto em sépia tirada pelo agora fotógrafo Ico Ouro Preto – aquele que chegou a tocar guitarra com a banda em Brasília, mas trocou os palcos pelas lentes da câmera – trazia um casal abraçado de costas para a câmera e de frente para o mar.

AS MUDANÇAS A PARTIR DE *DOIS*

Dois foi o divisor de águas na EMI-Odeon. Era a primeira vez que a equipe da gravadora via a banda trabalhar num material inédito. Todos perceberam que, com Renato Russo, Renato Rocha, Dado Villa-Lobos e Marcelo Bonfá, era melhor acreditar no provérbio que diz: "Devagar se vai ao longe." Por outro lado, eram os quatro meninos de Brasília aprendendo muito com os mestres. Foi durante as gravações desse álbum que a banda fez "as pazes" com o estúdio. Ecos, *reverbs*, efeitos... A cada descoberta que faziam, a admiração pelas máquinas aumentava. "O estúdio pode fazer isso?", perguntava Russo.

"Nós já fomos underground (de chocar todo mundo), pop (na época de 'Eduardo e Mônica'), *stadium band* (de fazer shows em lugares imensos). Agora somos uma banda de gravação. Porque, se o disco é bem-feito, ele sozinho se faz. O interesse é natural", disse Renato Russo ao jornal *O Globo*, dois anos depois (1988), quando já se sentia seguro com o aprendizado.

Outra mudança ocorrida durante o processo de divulgação de *Dois* foi a saída de Fernanda Villa-Lobos do cargo de empresária. Esposa de Dado, ela vinha trabalhando com a banda desde o início. Mas, vendo que os meninos já estavam andando sozinhos, preferiu não continuar com a responsabilidade. Na sequência, Rafael Borges se juntou à trupe.

Ele conhecia Dado e Fernanda desde que os dois passaram pela casa de shows Heavy Metal, localizada em Santos, litoral de São Paulo, onde trabalhava produzindo eventos com tudo quanto é tipo de artista (de Língua de Trapo a João Bosco). O guitarrista viajou para ver um amigo da banda Voluntários da Pátria tocar. Com ele, levou uma fita K-7 com o que viria a ser o primeiro disco da Legião Urbana. A música encantou Rafael Borges, que acabou marcando o primeiro show do grupo de Renato Russo na casa.

Rafael Borges levou a turnê de *Dois* ao Caiçara Music Hall, clube que assumiu depois que o Heavy Metal ficou pequeno demais. O público queria "'Índios'", mas a banda não tocou. Começou a gritaria: "Filho da...! Filho da...!" Ainda assim, os músicos não cederam. Parte da plateia saiu revoltada, parte gostou. Foi o caso do produtor, que viu ali a personalidade que faltava em muitos artistas: "Esse episódio reforçou minha ligação com a Legião Urbana. Achei aquilo fantástico!" Renato Russo incentivou Rafael a partir para outras praças e, assim, a parceria foi crescendo. O produtor marcava shows em outros lugares, e a banda ia. Com a saída de Fernanda, ele passou a ser consultado sobre quase tudo que dizia respeito a show. No início de 1987, houve a conversa definitiva.

REPERTÓRIO

faixa	título	composição	duração
1	"Daniel na Cova dos Leões"	Renato Russo, Renato Rocha	04:00
2	"Quase sem Querer"	Dado Villa-Lobos, Renato Russo, Renato Rocha	04:40
3	"Acrilic on Canvas"	Dado Villa-Lobos, Marcelo Bonfá, Renato Russo	04:40
4	"Eduardo e Mônica"	Renato Russo	04:31
5	"Central do Brasil"	Renato Russo	01:34
6	"Tempo Perdido"	Renato Russo	05:02
7	"Metrópole"	Renato Russo	02:49
8	"Plantas Embaixo do Aquário"	Dado Villa-Lobos, Marcelo Bonfá, Renato Russo, Renato Rocha	02:54
9	"Música Urbana 2"	Renato Russo	02:40
10	"Andrea Doria"	Dado Villa-Lobos, Marcelo Bonfá, Renato Russo	04:53
11	"Fábrica"	Renato Russo	04:56
12	"'Índios'"	Renato Russo	04:17

QUE PAÍS
É ESTE 1978/1987

1987

O terceiro disco da Legião Urbana, *Que País É Este 1978/1987*, ficou pronto em pouco mais de um mês. Renato Russo, Dado Villa--Lobos, Marcelo Bonfá e Renato Rocha até começaram a compor para o novo trabalho. Mas o trauma de ter que fazer de *Dois* um disco que superasse o de estreia, *Legião Urbana*, fez com que a banda optasse agora por uma gravação mais simples, menos dolorosa. Afinal, Russo ainda vivia certa crise de criatividade. Além disso, temia perder para a nova banda de Fê (bateria) e Flávio Lemos (baixo), Capital Inicial, as músicas que o trio tocava no Aborto Elétrico. Então, o vocalista achou que era hora de registrar logo os hits dos tempos em que os punks eram um sucesso como banda de garagem.

"A gente não chegou a finalizar essas músicas que começamos a compor, e surgiu a ideia de registrar as que eram do Aborto. Renato estava numa ânsia de gravar logo, porque senão o Fê ia acabar levando--as para o Capital Inicial. 'Vamos fechar esse baú, porque são músicas minhas mesmo. Depois a gente pensa num novo repertório'", disse o vocalista, de acordo com Dado.

Além disso, a EMI-Odeon estava cobrando dos meninos que fechassem logo um ciclo obrigatório: a banda deveria entregar três discos em 36 meses, prazo que já tinha estourado na época do lançamento de *Dois*.

Nesse momento, a Legião Urbana estava mais madura e tinha em sua *entourage* um novo empresário, Rafael Borges – ainda trabalhando com contrato de fé – e advogados. Jorge Davidson admirava cada vez mais o quarteto e, por isso, fazia de tudo para não permitir que burocracias da multinacional interferissem no trabalho dos garotos. Era ele um dos responsáveis por negociar as questões da EMI com a Legião Urbana.

"Como eles preencheram os 36 meses previstos gravando esses dois discos, houve uma renovação automática do contrato. Aí surgiram os advogados, o empresário e uma discussão de que era um contrato de royalty pequeno e sem adiantamento, e que a Legião Urbana já era uma banda que dava grana. Do primeiro para o segundo disco, eu solicitei que a gravadora passasse os royalties de 7% para 10%, um aumento de quase 50%. Ficamos nesse impasse até concluirmos que, gravando esse terceiro álbum, eles estariam livres para negociarmos novos projetos. E aí, quando a negociação se concluiu, eles entraram em estúdio para fazer esse disco, que seria de entrega rápida", lembra Davidson.

Juntando a fome com a vontade de comer, todo mundo se empenhou para que *Que País É Este 1978/1987* saísse rápido, mas com qualidade. O jeito foi bolar um repertório fácil, que incluiria, além das canções do Aborto Elétrico, algumas dos tempos em que Renato atuava como O Trovador Solitário, também em Brasília.

"Quase todas as faixas desse disco são antigas. 'Que País É Este' é uma música que Renato tocava no Aborto. 'Conexão Amazônica' e 'Tédio', também. 'Faroeste Caboclo' era de O Trovador Solitário. 'Angra dos Reis' e 'Mais do Mesmo' foram as únicas que a gente compôs depois", conta Bonfá.

"Trata-se de uma antologia", escreveu Arthur Dapieve no *Jornal do Brasil*, logo após o lançamento. Para o jornalista, *Que País É Este 1978/1987* espelhava, naquelas músicas, a trajetória do grupo até ali: não à toa, há um período de nove anos entre os números que aparecem no título.

"Um registro da maior parte das canções da Legião Urbana nunca antes lançada em disco, mas já conhecidas através de apresentações ao vivo e gravações piratas", diz a frase que abre um texto localizado na primeira página do encarte do LP, abaixo de uma foto da banda. "As letras destas nove canções refletem uma ingenuidade adolescente, mas só por terem sido escritas há quase nove anos. A temática continua atual, até demais", diz o texto, mais à frente.

"Eu Sei" foi composta por Renato Russo em 1982, depois do Aborto Elétrico e antes da Legião Urbana. Poucos anos depois, uma versão pirata – gravada durante um show da banda – passou a ser executada pelas rádios. Mais tarde, em entrevista, o vocalista alegou que esse era um dos motivos para a gravação de um LP com músicas já manjadas. "Com o disco, acabou-se também a festa das rádios que faziam fitas piratas nos shows", declarou Tom Leão, no jornal *O Globo*, em dezembro de 1987.

MUITO DO QUE SE FALOU

Na época do lançamento, em novembro de 1987, a banda negou pressão da gravadora – mesmo tendo suspendido a gravação de um disco de inéditas para dar cabo dessa nova ideia – e ofereceu o terceiro LP como um presente de Papai Noel. "Parece que foi uma contradição", admitiu Dado em entrevista ao *Jornal do Brasil* naquele mês. "O Renato e o Bonfá decidiram de repente. Então, gravamos em duas semanas de outubro as músicas que nos pediam. E que queríamos tocar", disse.

"Essas músicas falam das mesmas coisas que falariam as do terceiro LP", explicou Renato, na mesma entrevista. "São coisas de que queríamos falar: Constituição, cocaína, solidão. Mas são letras antigas, adolescentes. O disco é um presente de Natal aos fãs."

Ao jornal *O Globo*, na mesma época, Bonfá declarou que o disco era uma forma de cessar os boatos de que a banda estava se dissolvendo. Dado abriu também o coração ao falar sobre a decisão de não gravar músicas inéditas: "O negócio com esse disco que a gente parou de gravar é que o projeto dele se chamaria a princípio *Disciplina e Virtude*. Uma das faixas, por exemplo, se chamava 'L'Âge D'Or'. No momento em que a gente entrou no estúdio, depois que Renato voltou de seu descanso em Brasília, a gente não conseguiu falar de disciplina e muito menos de virtude no caos em que estávamos e em que o país estava. Era época do Cruzado II!"

O caos que a Legião Urbana vivia tinha muito a ver com a relação com os fãs, que se tornou diferente. Com a banda passando de palcos de ginásios para os de estádios de futebol, não decepcionar era a meta de cada show. Fora isso, Renato Russo por muito pouco não foi transformado num "Ian Curtis tupiniquim" (vocalista do Joy Division que se suicidou), comentou Tom Leão, em texto para *O Globo*. O jornalista contou também que o fato de terem surgido boatos de que Russo tinha morrido levou o vocalista a uma crise. Sempre muito suscetível à pressão, Russo não queria a imagem de "mito".

"Pirei por causa disso e parei. Eles [a banda] sabem como é que eu fiquei. Eu estava vendo isso tudo como uma coisa perigosa para mim. Por isso esse disco é importante, até para dar um corte nessa história. Não quero morrer. Se quisesse, já teria ido embora há muito tempo. Não aceito que as pessoas tenham direito sobre a minha vida nesse sentido. Isso danou muito minha cabeça, cria uma aura muito pesada para a banda e afeta a todos. Na época, não tive como verbalizar o que sentia para a banda e mergulhei em muito álcool e muita droga. Nunca mais isso vai acontecer", disse Renato ao jornal carioca.

POUCO TEMPO EM ESTÚDIO

Em outubro de 1987, os dois Renatos, Dado e Marcelo abriram os trabalhos. "Que País É Este", "Conexão Amazônica", "Tédio (Com Um T Bem Grande pra Você)" e "Química" foram gravadas de primeira. "Como a gente já conhecia as músicas, não tinha isso de ficar passando o som. Gravamos quase tudo num *take*, com a energia da banda lá no alto", comenta Bonfá.

Dessa vez, eles alternaram entre o Estúdio 1 e o Estúdio 2 da EMI-Odeon, já sem Amaro Moço por trás da técnica. "Eu disse que era perda de tempo trabalhar nesse álbum, porque tem uma hora em que o saco esvazia, em termos de informação mesmo. Sugeri que escolhessem outra pessoa", lembra o técnico preferido de grandes nomes da MPB. Então, Sérgio Bittencourt e Renato Luiz assumiram a mesa.

Bem-sucedido na gravação de *Dois*, Mayrton Bahia seguiu trabalhando com a banda. Para se preparar, o produtor ouviu as fitas antigas que continham gravações toscas das canções que entrariam no disco. "Foi legal ver que eles dominavam essas músicas. A que tomou mais tempo foi 'Faroeste Caboclo'. Foi um trabalho gigantesco, uma verdadeira ópera", conta Mayrton.

A música de mais de nove minutos, escrita por Renato Russo em 1979, na época em que o cantor era O Trovador Solitário, estreou no Rio de Janeiro sob vaias, num show da Legião Urbana no morro da Urca em 1983. Quatro anos depois, registrada nos estúdios da EMI, ela foi a princípio proibida pela Censura para execução pública e radiodifusão, bem como "Conexão Amazônica": um selinho colado no vinil avisava ao comprador.

"Quando cheguei ao departamento, em 1983, já existia um cara na companhia exclusivamente para encaminhar as músicas para a Censura, para pegar autorização. Não existia mais a ditadura, mas essa cultura ainda estava enraizada. Quando dizia 'não pode', a gente gritava: 'O que é isso?' Mas não se podia fazer nada", lembra Jorge Davidson.

No entanto, em pouco tempo, "Faroeste Caboclo" ganhou admiradores. A começar pela turma que acompanhou a banda dentro do estúdio, trabalhando na música durante quase uma semana. "Para mim, o som da Legião Urbana era como os quadros de Van Gogh. Se você olha de perto, uma boca é uma boca, um olho é um olho. De longe, aquilo ganha movimento e expressão. Com a Legião, se eu fosse me preocupar com cada detalhe, não pegaria a energia da banda, que era sua grande magia", diz Mayrton Bahia.

Há imperfeições na gravação de "Faroeste Caboclo", admite o produtor. O quarteto demorou a conseguir tocar a base inteira de uma vez só, sem errar. Com Renato no violão, uma hora saiu. Mas Bonfá deixou escapar um toque na caixa que não deveria entrar na melodia. "Foi um erro na única base que eles conseguiram fazer do início ao fim. Como já estavam muito cansados, sugeri aproveitarmos a caixa. Eu botaria um efeito de eco e iria parecer que era uma coisa de cenário, como um filme.

A música tem uma história, então, olhar com esse conceito de filme foi o que nos fez conseguir preservar o som bruto da banda e ter o acabamento fonográfico", conta o produtor.

Ao perceber o sucesso que "Faroeste Caboclo" vinha fazendo, as rádios não arriscaram perder a chance de emplacar mais um hit em sua programação e editaram a saga de João de Santo Cristo, camuflando os trechos que a Censura havia considerado mais apimentados. "Foi uma surpresa muito grande tocar 'Faroeste' no rádio. A permanência, o público é que explica", disse Dado, já em maio de 1988, ao jornal O Globo.

Cinco meses antes, Arthur Dapieve declarou em matéria publicada pelo Jornal do Brasil que "a música é incontestável obra-prima, narrando a paixão e a morte do tal João de Santo Cristo, traficante que, oscilando entre o banditismo e a santidade, encarna o próprio Brasil". Como que já assinando uma crítica, o jornalista elogiou o fato de o arranjo começar como uma canção sertaneja, cair no reggae e se desenvolver em rock.

Na mesma entrevista que Dado deu ao jornal O Globo, em maio, Renato Russo comentou o sucesso nas rádios e a comparação de sua música com a sertaneja: "Acho legal porque as pessoas gostam da história. Eu acho que a música sertaneja é tão ou mais brasileira que o samba. Acho o samba mais carioca. Então, a música sertaneja tem a tradição da narrativa. É uma coisa antiga. Um motorista de táxi outro dia me disse que tinha um amigo que comprou a fita porque era exatamente a história do irmão dele. O cara saiu de Mato Grosso, foi pra Brasília e morreu num tiroteio no Nordeste. E a música é totalmente fictícia."

APENAS UMA BRIGA

Durante as gravações de *Que País É Este 1978/1987*, houve apenas um grande atrito: Mayrton Bahia pediu para que Renato Russo escrevesse uma letra para "Angra dos Reis", uma belíssima melodia composta por Marcelo Bonfá ao piano durante a pré-produção do disco, quando ainda se imaginava que o álbum seria de inéditas. Entre tantas "regravações", seria bacana ter algo novo no repertório.

Todo mundo queria lançar o disco logo, mas, mesmo assim, Renato resistia. O produtor deu a perigosa cartada final: "Falei que, se ele não fizesse a letra, eu não terminaria o disco." Ficou a sensação de que a provocação tinha ido longe demais, pois o vocalista virou de costas e abandonou o estúdio. No dia seguinte, com a turma já trabalhando na mixagem, Renato chegou, ainda mal-humorado: "Toma a tua letra!" E jogou na mesa onde estava Mayrton um papel todo amassado, como se estivesse pronto para ir para o lixo. "Muito depois, ele agradeceu e falou: 'Foi bom você ter insistido, a letra é bonita.' E eu tenho esse papel até hoje", lembra Mayrton.

Apesar de ter sido fácil, a produção do terceiro LP da Legião Urbana deixou um trauma. Foi durante esse período que a banda começou a sentir uma dificuldade muito grande em lidar com Renato Rocha, o Negrete. "Renato Russo já estava pegando no pé do Negrete, porque ele também tocava baixo e queria que o cara tocasse do jeito que ele gostava. Ele acabava se recolhendo muito", lembra Mayrton.

E não era só a forma de tocar que estava irritando todos os envolvidos na produção da nova obra da Legião Urbana. "Ele foi um erro que foi levado adiante. Sempre foi um problema. Era um cara diferente e, nesse período, estava vivendo do estrelato. Era o baixista da Legião Urbana, então, chegava atrasado, andava com mulheres bonitas... O cara perdia avião e a gente tinha que improvisar um jatinho ou uma nova passagem. Irresponsabilidade pura", diz Jorge Davidson.

Mas o drama foi maior durante as gravações do quarto disco. No estúdio, na época do terceiro, ele foi mais do que necessário também durante as partidas de vôlei que os músicos jogavam.

VÔLEI DE ESTÚDIO

"A gente desenvolveu uma modalidade que chamamos de Vôlei de Estúdio. Fazíamos uma quadra com fita-crepe e três rebatedores, cada um com uma janelinha. Usávamos uma bola Dente de Leite. Enquanto o pessoal estava mixando o disco no aquário, o campeonato comia solto. Fazia fila no corredor para jogar", conta Dado.

O pé-direito do estúdio era alto. As fitas-crepes demarcavam a área. Os rebatedores de madeira substituíam a rede. Através das pequenas janelas de vidro, os jogadores conseguiam visualizar apenas um pedacinho do que acontecia na área dos rivais.

Negrete era a dupla de Dado. Os dois sempre ganhavam de Bonfá e quem quer que o baterista chamasse para dividir a quadra com ele. Muitos acidentes ocorreram durante as partidas. "Tinha uns lustres que desciam do teto e a gente sempre batia com a bola neles. Éramos vândalos brincando ali dentro", comenta Bonfá.

NOS PALCOS, ENTRE ESPINHOS E FLORES

Disco lançado, a Legião Urbana partiu para a estrada. Rafael Borges chegou para ficar definitivamente ao lado da banda. O empresário sofreu um acidente de carro que o deixou na cama por três meses, durante as gravações do terceiro LP, mas iniciou o trabalho na época do lançamento oficial de *Que País É Este 1978/1987*. "Nosso contrato era de boca. Acompanhei os shows, as idas às rádios, mas não montei escritório. Com a gravadora, fechamos mais pra frente", conta Rafael.

A primeira vez que a Legião Urbana foi ao encontro do seu público depois dessa reclusão para a gravação foi na cidade onde a banda começou a fazer história: Brasília. Só que a alegria de voltar para casa virou uma grande decepção. Durante o show no estádio Mané Garrincha, em junho de 1988, iniciou-se um empurra-empurra que resultou em mais de 380 atendimentos médicos e num processo movido pelo governo do Distrito Federal.

Mais de 50 mil pessoas assistiam ao espetáculo, que começou com um atraso de uma hora, com Renato cantando a faixa-título do terceiro álbum da banda. Enquanto executavam a quarta música do show, "Conexão Amazônica", um homem subiu no palco e pulou nas costas do vocalista, agarrou sua garganta e o atacou com um canudo de papel. O músico se defendeu dando microfonadas na cabeça do sujeito, que foi retirado do palco por seguranças.

Uma confusão maior estava por vir. Objetos começaram a ser atirados nos músicos. Renato não deu trégua, mandando mensagens para o público hostil: "É legal, todo mundo se matando aqui na frente"; "Por isso que a gente só volta aqui de ano e meio em ano e meio". Depois de uma hora de show, a banda saiu do palco, deixando a plateia frustrada. Quebra-quebra e pânico tomaram conta do Mané Garrincha. Renato Russo decretou que não voltaria mais a Brasília. E se lamentou em entrevista ao *Jornal do Brasil*, em junho de 1988: "A banda foi exposta de forma injusta, agressiva, por parte da imprensa e dos órgãos governamentais do Distrito Federal, mas nós fomos os primeiros a admitir o erro. Agora, a polícia tem sua parcela de culpa. O público também tem. E a produção do show também."

Para não dizer que a banda não ganhou flores, um mês depois do incidente o Maracanãzinho se ajoelhou para Renato Russo, Dado Villa-Lobos, Marcelo Bonfá e Renato Rocha. "Cariocas atiram margaridas na Legião Urbana", declarava a manchete da matéria publicada pelo jornal *Folha de S.Paulo*, dois dias depois do espetáculo. No meio de 20 mil pessoas, podia-se ver uma faixa com os dizeres: "Isso aqui não é Brasília."

Ao final de 1989, época do lançamento de *As Quatro Estações*, a banda bateu a marca de 1 milhão de discos vendidos, incluindo aí os três primeiros LPs.

REPERTÓRIO

faixa	título	composição	duração
1	"Que País É Este"	Renato Russo	02:57
2	"Conexão Amazônica"	Renato Russo, Fê Lemos	04:37
3	"Tédio (Com Um T Bem Grande pra Você)"	Renato Russo	02:32
4	"Depois do Começo"	Renato Russo	03:13
5	"Química"	Renato Russo	02:19
6	"Eu Sei"	Renato Russo	03:10
7	"Faroeste Caboclo"	Renato Russo	09:04
8	"Angra dos Reis"	Renato Russo, Renato Rocha, Marcelo Bonfá	05:00
9	"Mais do Mesmo"	Dado Villa-Lobos, Marcelo Bonfá, Renato Russo, Renato Rocha	03:20

AS QUATRO ESTAÇÕES

1989

"Sinceramente, não tenho coragem, mas também não sei dizer que o amor é uma viagem num barquinho de papel. Olhei à minha volta e selecionei o que era mais importante dizer nesse momento. Todo mundo quer ser feliz, mas isto você só conquista quando se volta para si mesmo e descobre a importância de viver em harmonia com o próximo."

(Renato Russo, 1º de novembro de 1989, jornal *O Dia*)

Perto de atingir a marca de 1 milhão de cópias vendidas dos três LPs anteriores, a Legião Urbana voltou ao estúdio para gravar *As Quatro Estações* em julho de 1988. Era hora de compor, já que o estoque de músicas havia se esgotado com a gravação de *Que País É Este 1978/1987*, e a banda não tinha mais nenhuma carta na manga. A situação não foi muito diferente de quando os músicos começaram a trabalhar em *Dois*, LP que chegou às lojas quase dois anos depois do fim das gravações do álbum de estreia, *Legião Urbana*. O "pânico" de Renato Russo, Dado Villa-Lobos e Marcelo Bonfá ainda se agravou no momento em que os três perceberam que não havia mais condição de seguir adiante com Renato Rocha, o Negrete, fazendo parte da banda.

Renato Rocha se mudou para um sítio que comprou em Mendes, município do estado do Rio de Janeiro a 103 km de Botafogo (na época, ele levava cerca de duas horas para chegar no estúdio da EMI-Odeon). Nada de mais se Negrete tivesse conseguido acompanhar a rotina do resto da banda. Mas o baixista começou a faltar aos ensaios e, mesmo quando presente de corpo no processo de composição, não comparecia de alma.

"A gente estava juntando os cacos que ficaram depois do episódio em Brasília, era o momento em que a gente precisava estar junto, fazendo música. A ausência dele no estúdio significava um instrumento a menos. Aí, quando aparecia, a gente parava tudo e ficava fazendo sessões de análise, com a ajuda do Mayrton, que era muito atencioso e vivia tentando fazer o Renato Rocha voltar à Terra", conta Dado.

Produtor dos dois discos anteriores, Mayrton Bahia fez de tudo para que Negrete entendesse sua importância para a banda naquele momento. "Meu filho, a gente não está fazendo show, mas estamos aqui diariamente fazendo um disco", dizia. O baixista achava que, compondo em casa, solucionaria o problema. "A gente começava a criar, ele parava no meio e dizia: 'Vou levar a fita para casa e amanhã eu trago o arranjo pronto, tá?' A gente falava: 'Que história é essa? Toca aí.' Poxa, estávamos cheios de energia no estúdio e o cara ficava pensando", desabafa Bonfá.

A situação foi ficando insustentável. "Seis meses depois, não aguentamos", lembra Dado. Marcada uma reunião na sede da gravadora, Renato Rocha foi convidado a sair da banda, tornando o processo de produção de *As Quatro Estações* ainda mais traumático.

Renato Russo deu a notícia primeiramente a Reginaldo Ferreira, um rapaz apaixonado pela Legião Urbana, que tinha acompanhado a banda em sua turnê anterior e nem se tocou que tinha um furo de reportagem nas mãos. Decidido a formar um fã-clube, o Por Enquanto, o jovem conseguiu o telefone do vocalista e marcou de levar seu grupo para fazer uma entrevista na casa de Renato, na Ilha do Governador. "Estávamos gravando em fita K-7 e ele contou que o baixista tinha saído da banda. Ficamos quietos e ele disse: 'Tá vendo, vocês nem se importaram.' Mas é que eu era muito tímido e preferia só ficar ouvindo. Saímos de lá e não comentamos nada com ninguém."

LIVRES PARA CRIAR, PORÉM BLOQUEADOS

O sentimento era de cobrança e de culpa, mesmo que os músicos tivessem decidido que Negrete receberia todos os direitos sobre o novo álbum. Renato, Dado e Marcelo se sentiam mal com os últimos acontecimentos. E ficavam pior ainda porque meses se passaram e não havia nada novo – ou melhor, nada que os deixasse satisfeitos. O vocalista pensou em acabar com a Legião Urbana. "Em outra gravadora, seria inviável eles passarem um ano trabalhando no mesmo disco. Mas a EMI permitia, porque sabia que teria um material de primeira", lembra Jorge Davidson.

Até a produção do quarto LP, Davidson foi um dos grandes responsáveis por não atrapalhar a criatividade de Renato Russo e companhia. Muitos outros profissionais teriam pressionado a banda a terminar rapidamente seus discos. O homem que incluiu a Legião Urbana no elenco da multinacional fez diferente: o tempo era livre para os músicos. Desde o primeiro disco, a gravadora literalmente fechava o estúdio para que trabalhassem. Da pré-produção até a mixagem, o espaço era deles.

Mas Renato Russo estava bloqueado. Com a saída de Negrete e ainda se refazendo do "episódio de Brasília" – o empurra-empurra do show no estádio Mané Garrincha –, o letrista não conseguia escrever nada que achasse digno de musicar. O resto da banda, formada agora só por Dado Villa-Lobos e Marcelo Bonfá, esperava com paciência.

Impaciente estava Mayrton Bahia, que havia deixado de ser funcionário da EMI-Odeon para trabalhar como produtor freelancer. Sem salário fixo, o ideal seria que o disco saísse logo para que pudesse pegar outros projetos. Para trabalhar com a Legião Urbana, ele tinha que dedicar seu tempo à banda integralmente. Era papo de exclusividade mesmo.

"Na época em que fui promovido a gerente de *casting*, estava produzindo feito um louco. Então, fui pedir um aumento e o presidente da gravadora combinou que me daria 0,05% de todos os discos que estavam no meu *casting* [elenco]. Aceitei e comecei a ganhar tanto que meu salário encostava no dos diretores. Isso gerou um problema político dentro da companhia. Aí, logo no início das gravações do quarto álbum da Legião Urbana, fui convidado a virar freelancer. Fui à falência, porque o trabalho levou um ano para sair e eu passei esse período vivendo da primeira parte do meu cachê", conta ele.

Mas, mesmo vendo seu mundo (pessoal) desabar, o produtor evitou a pressão. "Mayrton não tinha que bater ponto, então, quando ele percebia que estava evoluindo, dizia: 'Vamos nessa.' E saía gravando", lembra Rafael Borges. Para o empresário da banda, Mayrton era cúmplice dos músicos dentro do estúdio. Jorge Davidson também, só que do lado de fora: "O Jorge tem um documento que Renato mandou, com todo o conceito do disco *Dois*. Tendo vivido já a experiência da gravação dos outros, ele entendia o que era essa demora no quarto LP."

Mayrton resolveu usar táticas de convencimento. Passou um dia na casa de Renato e convidou o músico a ir com ele para a sede da EMI – agora, a banda trabalhava no Estúdio 2 porque o Estúdio 1 estava em obras. O cantor disse: "Não tenho nada para levar." Mayrton sugeriu, então, que ele selecionasse fitas K-7 que curtia, só para ficar ouvindo música. Depois, o produtor niteroiense passou a não ter mais dinheiro para abastecer o carro com o qual atravessava a ponte Rio-Niterói diariamente. Ainda assim, comparecia (de ônibus) e se colocava à disposição para o caso de a banda precisar de qualquer ajuda musical ou de um bom bate-papo. Incomodava-se apenas quando tinha um músico a menos no estúdio: "Às vezes Renato bebia muito dentro do estúdio e não conseguia ir no dia seguinte. Desanimados, Dado e Bonfá também chegaram a faltar."

Na hora de compor, nada fluiu tão naturalmente quanto todos os envolvidos no processo de produção do disco gostariam. Sem Negrete, Renato e Dado passaram a se alternar no baixo. "Eu fiz o baixo de 'Pais e Filhos' e acho que 'Se Fiquei Esperando Meu Amor Passar' foi o Renato que gravou. A gente estava construindo aquelas músicas, que nem tinham letras, porque elas sempre chegavam depois", comenta Dado. Algumas canções surgiam de repente, outras levavam dias para tomar forma.

Também havia momentos muito divertidos. Um dia, por exemplo, Renato Russo encasquetou com *Hair* – musical sobre as drogas, a música, a paz e o amor pregados pelos hippies, que estreou na Broadway na década de 1960 – e passou a madrugada inteira cantando sua trilha sonora. Detalhe: enquanto soltava a voz, o cantor dedicava uma coreografia para cada canção. Todo mundo esqueceu que estava duro e gargalhou até as quatro da manhã. Durante o processo, a banda se distraiu também quando voltou a promover o campeonato de Vôlei de Estúdio, iniciado durante as gravações de *Que País É Este 1978/1987*.

Um dia, "Pais e Filhos" nasceu. Mas com detalhes demais. "Eram várias camadas de guitarra e muitos sons que sobravam. Pareciam várias músicas dentro de uma só. Voltei ao esquema de cortar e colar pedaços e peguei o que tinha de melhor em cada canal", conta Mayrton. O mesmo aconteceu com "Monte Castelo", que foi pivô de um atrito entre o produtor e Renato Russo.

O vocalista da Legião Urbana misturou trechos da Bíblia com pedaços de poesias de Luís de Camões enquanto escrevia a letra. Durante as gravações, vários violões e um teclado com som de acordeom serviram como base para que ele tentasse cantar. "Rolou uma dificuldade de achar a linha melódica e ele foi gravando em vários canais. A letra estava caótica, e a base, um pandemônio", lembra o produtor. Dado e sua esposa, Fernanda, saíram do estúdio apavorados depois de lerem o texto, manuscrito num papel em cima da mesa.

O problema foi resolvido na mixagem, mas não antes de uma discussão. Mayrton tentava mixar de uma maneira, e Renato dizia: "Não é nada disso." O produtor testava outro jeito, e o vocalista não aprovava. Horas e horas de trabalho depois, Renato meteu a mão na mesa e desligou o som. Chateado, Mayrton subiu na cadeira e ameaçou: "Vou terminar este disco, queira você ou não, com você ou sozinho. Se quiser ficar aqui, fique quieto." O cantor não deu mais um pio até o fim daquele trabalho e, depois, declarou ter gostado do resultado final. "Quando coloquei a música pronta para o Dado ouvir, ele começou a chorar", entrega Mayrton.

"Há Tempos" também ganhou versos bíblicos. Uma passagem no encarte explica: "O segundo verso de 'Há Tempos' é de um texto achado numa Igreja em 1600." De um livro chamado *A Doutrina de Buda*, Renato tirou versos para "Quando o Sol Bater na Janela do Teu Quarto". "No livro vem escrito: 'Qualquer parte deste livro poderá ser livremente citada sem permissão'", diz o texto do encarte.

Após um ano dentro do Estúdio 2, Renato Russo, Dado Villa-Lobos e Marcelo Bonfá começaram a esboçar aquelas que se tornariam algumas das músicas mais significativas da história da banda.

UMA ÓPERA NO PÁTIO DA GRAVADORA

Beto Boaventura, presidente da EMI-Odeon, preparava um dossiê com os resultados da gravadora naquele ano. Num sábado ensolarado em que os músicos encontravam-se no estúdio, Boaventura passou pela sede da empresa para buscar o documento, já que em breve viajaria para apresentá-lo numa das convenções da multinacional. Foi a primeira vez que Mayrton Bahia comentou com a banda que o presidente já não esperava um novo LP da Legião Urbana para 1989. Renato Russo não pensou duas vezes: correu do estúdio para o pátio, onde estavam o presidente, sua esposa e sua sogra.

– Oi, Beto, tudo bem? – abordou-o Renato.

– Vocês aqui, num sábado?! – indagou Boaventura.

– Sim, por quê? Você acha que esse esforço todo aqui é para nada? Estamos trabalhando para que este disco saia ainda este ano – disse o vocalista.

E Renato cantou o disco inteiro, *a cappella* e às vezes imitando um tenor, tendo como plateia o presidente da EMI e sua família. No dia seguinte, foi um corre-corre dentro da gravadora. Todo mundo se preparou para o lançamento de *As Quatro Estações*. E, finalmente, Mayrton Bahia conseguiu ver a segunda parte do seu cachê. Em outubro de 1989, o quarto LP da banda chegava às lojas, também no formato CD. Fotos individuais de Renato, Dado e Marcelo ilustram a capa cinza-prateada, cujo projeto gráfico foi assinado por Fernanda Villa-Lobos, esposa do guitarrista, que já vinha fazendo esse tipo de trabalho para a banda.

Nove meses depois do lançamento, em julho de 1990, mais da metade do repertório já era conhecido do grande público. "Trata-se de um dos melhores e mais bem-sucedidos vinis de rock já lançados no Brasil. Tanto que seis das onze faixas do LP já estouraram nas rádios. Atualmente, é a vez de 'Se Fiquei Esperando Meu Amor Passar', que promete ser um hit como 'Há Tempos', 'Pais e Filhos', 'Monte Castelo',

'Meninos e Meninas' e 'Quando o Sol Bater na Janela do Teu Quarto'", escreveu o jornalista Mauro Ferreira em matéria publicada pelo jornal *O Globo*.

UM DISCO DE AMOR, MAS COM POLÊMICA

Na época do lançamento, Renato Russo usou o coração para tentar entender e explicar a paixão dos fãs por suas letras. "Fomos mais artesanais e me dei ao luxo de, pela primeira vez, não usar o dicionário para escrever as letras que são extremamente emocionais e, por isso mesmo, são bem compreendidas pelo povo brasileiro, que, ao contrário do que dizem, não é burro, mas sentimental, e sempre responde aos estímulos", declarou o cantor ao jornal *O Dia*, em novembro de 1989.

"As quatro estações tanto podem sugerir uma comparação com os diferentes climas que nos proporciona a natureza como podem se referir às quatro estações pelas quais passamos na Terra: nascimento, vida, amor e morte", escreveu Tom Leão na seção "Críticas" do jornal *O Globo*, em outubro de 1989. O jornalista qualificou o novo álbum da Legião Urbana como um disco de amor: "Uma das raras bandas nacionais que ousam falar de amor além do trivial João ama Maria, a Legião reaparece após descansar do excesso de fama, com um disco onde o amor é a tônica. *As Quatro Estações* fala de amor. O tempo todo."

As letras de *As Quatro Estações* também geraram polêmica entre os mais cristãos. "Como o lado contestador não foi revitalizado, as pessoas estão atentando para o lado religioso das letras das músicas, mas desprezam as mensagens políticas presentes em quase todas as faixas", disse Renato Russo ao jornal *O Dia*, na época do lançamento do LP. Anos mais tarde, em 1994, o vocalista assumiu em entrevista ao jornal *O Estado de S. Paulo* que foi longe demais durante o processo de composição: "Tinha uma música chamada 'Rapazes Católicos' que a gente cortou do *As Quatro Estações* porque era impublicável. É impublicável. Era uma coisa sobre fundamentalismo. Era muito explícito sexualmente."

Ainda em 1989, *O Globo* publicou uma matéria que questionava se era compatível ser cristão e gostar de se relacionar com ambos os sexos, coisa que o vocalista assumia na letra de "Meninos e Meninas". "Não sei se há alguma contradição nisso. Depois que fiz o disco, comecei a achar que Deus não existe", declarou Russo, encerrando a discussão. Na mesma entrevista, ele disse que fez "Feedback Song for a Dying Friend" em 1985, mas dedicou a canção a Cazuza: pouco tempos antes, o ex-vocalista da banda Barão Vermelho tinha assumido em público estar contaminado pelo vírus HIV (ele morreu em julho de 1990). No encarte do álbum, a letra em inglês ganhou uma tradução em português assinada por Millôr Fernandes. "É um inglês complicado", justificou Dado Villa-Lobos, na época, sobre a música.

As Quatro Estações foi um dos discos mais bem recebidos pelos fãs. Em outubro de 1990, um ano após o lançamento do LP, a revista *Veja* publicou um gráfico mostrando que já haviam sido vendidas nada menos que 730 mil cópias.

REPERTÓRIO

faixa	título	composição	duração
1	"Há Tempos"	Dado Villa-Lobos, Marcelo Bonfá, Renato Russo	03:17
2	"Pais e Filhos"	Dado Villa-Lobos, Marcelo Bonfá, Renato Russo	05:08
3	"Feedback Song for a Dying Friend"	Dado Villa-Lobos, Renato Russo, Marcelo Bonfá	05:25
4	"Quando o Sol Bater na Janela do Teu Quarto"	Dado Villa-Lobos, Marcelo Bonfá, Renato Russo	03:13
5	"Eu Era um Lobisomem Juvenil"	Dado Villa-Lobos, Marcelo Bonfá, Renato Russo	06:45
6	"1965 (Duas Tribos)"	Dado Villa-Lobos, Marcelo Bonfá, Renato Russo	03:44
7	"Monte Castelo"	Renato Russo	03:50
8	"Maurício"	Dado Villa-Lobos, Marcelo Bonfá, Renato Russo	03:17
9	"Meninos e Meninas"	Dado Villa-Lobos, Marcelo Bonfá, Renato Russo	03:23
10	"Sete Cidades"	Dado Villa-Lobos, Marcelo Bonfá, Renato Russo	03:25
11	"Se Fiquei Esperando Meu Amor Passar"	Dado Villa-Lobos, Marcelo Bonfá, Renato Russo	04:56

V

1991

A turnê de *As Quatro Estações* começou em 1990, e não foi necessário chegar ao fim para concluir que ela seria a mais conturbada da história da Legião Urbana. Ao mesmo tempo que Renato Russo descobria ser portador do vírus HIV, a banda sofria com as consequências do confisco promovido por Fernando Collor de Mello logo após sua posse. O então presidente da República congelou por dezoito meses as contas-correntes, poupanças e aplicações financeiras de valor superior a 50 mil cruzados novos, alegando que assim acabaria com a inflação. Renato Russo, Dado Villa-Lobos e Marcelo Bonfá depositaram nesses shows a esperança de recuperar o dinheiro perdido.

"Collor deixou todo mundo com 50 cruzeiros reais, que era o nome da nova moeda. As pessoas faziam filas homéricas para poder pegar esse caraminguá. Foi bem quando começamos a fazer os shows. Renato estava em vias de comprar um apartamento, o que significava sua independência habitacional, e perdeu tudo. Decidimos que íamos recuperar tocando", lembra Dado.

A bomba caiu na cabeça do vocalista quando, preocupado com a imagem que passaria para seu filho, Giuliano (nascido em 1989), decidiu se internar numa clínica de desintoxicação: lá, Renato Russo descobriu que havia contraído o vírus HIV. Rafael Borges se submeteu a exames para incentivar o amigo e tomou um susto ao pegar o resultado. "Dei a notícia e ele disse que já sabia. Fez uma reunião, como se fosse de trabalho, para pedir que eu organizasse as coisas após sua morte. Renato queria uma biografia. Não segui a orientação, porque considerei aquilo uma reação de momento. Combinamos que essa história não sairia dali. Logo depois, ele caiu na tragédia e começou a compor para o disco V", conta o empresário da Legião Urbana.

A pré-produção do quinto álbum da Legião Urbana se deu assim, em meio a incertezas, descrenças e total falta de esperança. Renato se drogou mais do que nunca: "A turnê de As Quatro Estações foi barra. O Collor tirou nosso dinheiro e pegamos um ano e meio de estrada. Tudo que era química possível eu consumia", reconheceu, anos depois, em setembro de 1995, em entrevista ao Jornal do Brasil. E, para completar, a banda não tinha mais nem Jorge Davidson nem Mayrton Bahia como cúmplices. O diretor artístico do departamento nacional da EMI-Odeon enfrentou a fúria de Renato Russo quando decidiu que não ia dar a fita que continha a gravação de um show da banda, de mão beijada, para a Polygram, gravadora para qual o produtor do segundo, do terceiro e do quarto álbuns da Legião Urbana estava trabalhando.

"Durante a turnê de As Quatro Estações, a banda fez um show e eu sugeri gravarmos. Ninguém queria, mas consegui convencer. Aí, um belo dia, o Rafael Borges me liga pedindo para que eu enviasse a fita para a Polygram, para o Mayrton e o pessoal de lá ouvirem. Não mandei. Renato me ligou, mas mantive minha posição. Eu disse: 'Vocês nunca quiseram ouvir aqui na EMI e agora querem que eu mande o material inédito para lá?' Tivemos uma discussão horrível e a banda acabou sendo a única do meu elenco a não me apoiar quando o Beto Boaventura saiu da EMI-Odeon e meu nome surgiu como possibilidade para ocupar o cargo dele, de presidente da gravadora", conta Davidson.

Jorge não ocupou o cargo e também não participou ativamente das gravações de V, apesar de aparecer como diretor artístico nos créditos do disco. Só recuperou a amizade com Renato quando foi trabalhar na Sony Music, em 1993. Três anos depois, entendeu por que o vocalista da banda que ele contratou e da qual ele cuidou com tanto carinho o tratou como se fosse um inimigo naquele momento: "Depois que Renato morreu e que eu soube mais detalhes sobre sua doença, puxei da memória e concluí que, naquele momento, ele havia acabado de descobrir que estava com HIV e ficou desesperado, achando que devia fazer um disco ao vivo rápido, porque ia morrer."

Entre *As Quatro Estações* e *V*, Mayrton Bahia foi contratado como diretor artístico da Polygram. Produtor de três dos quatro discos da Legião Urbana até ali, era hora de partir para outra. Mas a decisão não era só sua, e ele acabou cedendo e voltando a trabalhar com Renato, Dado e Marcelo. Não participou da pré-produção do álbum que estava por vir: enquanto a banda gravava demos, compunha e se preparava para entrar em estúdio, Mayrton se dedicava aos projetos de sua nova "casa". Numa noite de 1991, encontrou o vocalista num show de Fernanda Abreu, backing vocal da Blitz que se preparava para se lançar em carreira solo, e foi convidado por ele a visitá-lo no estúdio.

"Naquela noite, Renato disse que eu tinha sumido e me contou muita coisa que tinha acontecido durante aquele período. Falei que podia passar o tempo que fosse que ainda ia parecer que tudo tinha acontecido ontem. Aceitei ir no estúdio e, lá, acabei assumindo a produção", conta Mayrton.

DE CASA NOVA

V foi o primeiro álbum produzido fora da EMI-Odeon. Até pouco antes do lançamento, em dezembro de 1991, a banda ocupou um dos cômodos da primeira sede do estúdio Mega, localizado na Barra da Tijuca, sabendo que não teria mais exclusividade: se, antes, a multinacional reservava sua sala para a Legião Urbana ficar até acabar o trabalho num álbum, agora, com a produção sendo feita fora das instalações da gravadora, as horas eram compradas... e contadas. Mas isso não chegou a ameaçar Renato, Dado e Marcelo. O sofrimento foi muito menor durante as gravações do que na época em que estavam compondo.

O sofrimento também era diferente: se antes Renato tinha bloqueios, dessa vez as músicas apareceram com muito mais facilidade, justamente porque o compositor estava remoendo todas as "questões" que o rodeavam. Algumas letras são enormes: com pouco mais de onze minutos, "Metal Contra as Nuvens" é dividida em quatro partes; "Montanha Mágica" tem 43 versos e quase oito minutos. E muitas delas são soturnas e melancólicas: "Os meus amigos todos estão procurando emprego", canta Renato em "O Teatro dos Vampiros". O disco acabou classificado por muitos como um álbum de rock progressivo.

"O que a gente quis passar para o *V* era um tédio e um marasmo. Aquele disco foi feito lento de propósito", disse Renato Russo em entrevista a Zeca Camargo para a MTV, em 1993. Antes, o músico desabafou com o repórter: "Eles estão fazendo com que o Brasil seja um país de assassinos. É garoto de 15 anos sendo morto pelas costas, pela polícia. É menininha de 15 anos sendo estuprada. É essa porrada na cabeça o tempo todo... Se eu falo de coisas boas, parece uma coisa irreal. Eu acho que hoje em dia os jovens estão sendo massacrados, a situação está péssima e a gente não sabe mais para onde ir. As pessoas não têm mais senso de civilidade e respeito. Para sobreviver, você tem que ter uma rede de amigos. Eu, graças a Deus, tenho isso no trabalho. Não vejo muito o Dado e o Bonfá, mas a gente faz cachorro-quente. Domingo, teve churrasco e todo mundo levou as crianças. Amigo é para se divertir."

O SOM DAS MÚSICAS

"Metal Contra as Nuvens" leva a assinatura do trio e a de Eduardo Souto Neto, compositor e instrumentista responsável pelo arranjo de cordas. Esta foi a música mais elaborada de *V*, sem dúvida. Parte dela foi gravada nos estúdios da Polygram, com quarenta músicos contratados: "Eram doze violinos, quatro violas e quatro cellos, o que deu uma dinâmica muito grande", conta Mayrton. Nesse disco, o produtor finalmente conseguiu convencer Renato a abandonar seu Roland Juno 106 e usar outros teclados, em busca de novas sonoridades. O vocalista aceitou, achando mesmo que a mudança combinaria com os temas medievais que queria abordar.

"A Ordem dos Templários" é uma canção instrumental que evoca a Idade Média e homenageia os cavaleiros que cuidavam da segurança dos cristãos nos tempos das Cruzadas. Outra música em parceria com alguém de fora da banda, "Love Song" foi escrita em português arcaico (também conhecido como galaico-português). O coautor Nuno Fernandes Torneol foi nada menos que um trovador que, acredita-se, se estabeleceu na corte do rei Afonso X de Leão e Castela, no século XIII. "Pero sei que me quer matar/Mais rogarei a mia senhor", diz parte da letra.

A capa de V foi um capítulo à parte. O então gerente de produto da EMI-Odeon, Ronaldo Vianna, foi até a casa de Renato Russo para conversar sobre o alto-relevo e o dourado que o vocalista queria colocar na lua-estrela que ilustra a frente e no "V" estampado na contracapa: a consultora de marketing da gravadora não havia aprovado o orçamento. "O Brasil estava em crise e tinha a questão de custo, porque a cor dourada era muito mais cara. Essa moça achava que era um luxo desnecessário que não cabia naquele momento. Renato pediu para eu fazer a capa do jeito que ele queria e eu atendi. Ela reclamou comigo, mas passou", recorda Ronaldo.

Já se sabia que a Legião Urbana não era muito afeita aos videoclipes. Antes de dar início à turnê, então, gravaram um show com o repertório do V para que a MTV – emissora voltada para a música, recém-inaugurada no Brasil – tivesse material para exibir em sua programação. "Esse show foi lançado depois em DVD, como *Acústico MTV*. Lembro de o Renato, no camarim, reclamar de estar ali e depois, no palco, se entregar. Ele foi se soltando... Fez várias piadas durante o show e tocou uma música dos Menudos", lembra Ronaldo Vianna, que acompanhou a banda na viagem a São Paulo. "Hoje a Noite Não Tem Luar" era uma versão de Carlos Colla para "Hoy Me Voy Para México", da boy band porto-riquenha.

NOVOS INTEGRANTES

Renato, Dado e Marcelo convidaram Bruno Araújo, da banda Rio Sound Machine, para gravar o baixo em V. O músico havia acompanhado a Legião Urbana nos shows de *As Quatro Estações*, junto com o violonista Fred Nascimento (ex-Rosa Púrpura) e o tecladista Mú Carvalho (ex-A Cor do Som). Ele acabou ficando também para a nova turnê, mas não chegou a rodar o país por causa de uma briga com um dos parceiros. "Bruno e Fred andavam juntos. Eram inseparáveis. Mas, uma vez, os dois começaram a discutir no estúdio e o Fred ameaçou quebrar o violão na cabeça do Bruno. Dado segurou a dupla e Renato botou pilha para a briga continuar", lembra Bonfá. Os dois foram para o lado de fora e, quando voltaram, estavam demitidos.

Chegaram para compor a banda, então, Sérgio Serra (violão), ex--Ultraje a Rigor; Tavinho Fialho (baixo) e Carlos Trilha (teclado). Os ensaios recomeçaram e Rafael Borges pôde voltar a pensar em como seria o cenário do espetáculo que queria preparar para *V*: "No quarto disco, havia tratamento cênico do [cineasta] Cláudio Torres, com assistência de Gualter Pupo. No quinto, quem fez o cenário foi o Gualter e a luz foi do Maneco Quinderé. Era uma caixa preta, com um tecido preto... Uma coisa bem teatral."

Carlos Trilha, que na época acompanhava Leo Jaime, substituiu Mú a convite do próprio tecladista: "Ele não ia poder realizar alguns shows da turnê e eu entraria como substituto." Renato Russo curtiu o fato de aquele músico tão jovem – ele tinha apenas 21 anos na época – entender tanto de sintetizadores. E ficou impressionado ao ver que sua "nova aquisição" sabia tocar as músicas da Legião Urbana exatamente como elas foram gravadas no disco. "Dei sorte porque o *setup* de teclados deles era idêntico ao meu, então foi fácil identificar os sons e reproduzi-los. E ainda tinha outra coisa: Renato tocava exatamente como eu quando era adolescente. A identificação foi imediata", conta Trilha.

O primeiro show que fez com a Legião Urbana, em Uberlândia, deixou Trilha boquiaberto: "Lembro que, até a terceira música, eu não conseguia ouvir uma nota. Eram só gritos, gritos, gritos. O público estava em catarse, êxtase total. Nunca tinha visto nada parecido. Demorei a me concentrar."

Mas a turnê não foi muito longa. Renato estava abusando das drogas e se desentendendo com Dado e com Marcelo, seus parceiros mais fiéis. No Nordeste, o clima esquentou. Sentindo-se sozinho, discutiu com eles, reclamando de estarem se divertindo nos momentos em que não estavam tocando.

"Cada um tinha um segurança e lembro que o do Renato estava verde, porque acompanhava o ritmo dele e ficava sem dormir, só que sem se drogar. Enquanto o meu e o do Bonfá estavam bronzeados, porque íamos às praias, às dunas", conta Dado, que acabou se irritando em certo momento: "Renato ficava sem voz porque não dormia. Tomava copos enormes de Cointreau e a coisa degringolou. Lembro que fizemos um show em Natal, no Rio Grande do Norte, num palco com mais de seis metros que foi usado durante a passagem do papa por lá. Acabou a energia e tocamos com a luz de emergência acesa. No final, Renato saiu rastejando. Voltamos para o Rio e eu disse que não tocava mais com ele se não se tratasse."

A turnê foi encerrada abruptamente, com diversos shows cancelados. Em 1992, para compensar a frustração dos fãs que aguardaram shows da Legião Urbana em suas cidades, além do *Acústico MTV*, a banda lançou *Música p/ Acampamentos*, uma coletânea dupla que traz encarte ilustrado por Marcelo Bonfá. E Renato Russo foi se tratar. Internou-se na clínica Vila Serena, em Santa Teresa, bairro do Rio de Janeiro, passou a tomar o AZT (antiviral inibidor dos sintomas da aids) e a frequentar reuniões dos Alcoólicos Anônimos. Dois anos depois, o cantor e compositor abriu seu coração quando Jô Soares, em seu programa, perguntou: "Você tem problema de ficar à vontade no palco?"

"Acredito que não. Tive problema mais pessoal, de dependência química, que já resolvi. Eu tenho dependência química, só que agora encontrei uma programação com doze passos. A cada dia sigo uma programação e tenho apoio de pessoas amigas que têm o mesmo problema. É um grupo de autoajuda, que existe em todas as cidades do Brasil, mas, pela décima segunda tradição, eu não posso dizer o nome. O que posso dizer é que é a primeira letra do alfabeto repetida duas vezes", declarou.

REPERTÓRIO

faixa	título	composição	duração
1	"Love Song"	Dado Villa-Lobos, Renato Russo, Marcelo Bonfá (adapt. da letra de "Cantiga de Amor", de Nuno Fernandes Torneol)	01:18
2	"Metal Contra as Nuvens"	Dado Villa-Lobos, Renato Russo, Marcelo Bonfá	11:28
3	"A Ordem dos Templários"	Dado Villa-Lobos, Renato Russo, Marcelo Bonfá	04:26
4	"A Montanha Mágica"	Dado Villa-Lobos, Renato Russo, Marcelo Bonfá	07:48
5	"O Teatro dos Vampiros"	Dado Villa-Lobos, Renato Russo, Marcelo Bonfá	03:37
6	"Sereníssima"	Dado Villa-Lobos, Renato Russo, Marcelo Bonfá	04:01
7	"Vento no Litoral"	Dado Villa-Lobos, Renato Russo, Marcelo Bonfá	06:06
8	"O Mundo Anda Tão Complicado"	Dado Villa-Lobos, Renato Russo, Marcelo Bonfá	03:45
9	"L'Âge D'Or"	Dado Villa-Lobos, Renato Russo, Marcelo Bonfá	05:06
10	"Come Share My Life"	Música tradicional do folclore americano	02:02

O DESCOBRIMENTO DO BRASIL

1993

A Legião Urbana entrou numa nova fase. Com Renato Russo "tratado" ("As drogas me fazem mal, me fizeram muito mal. Eu não uso drogas", disse ele em maio de 1994 ao jornal *O Estado de S. Paulo*) e todo mundo mais otimista, a banda estava se redescobrindo. Daí o título dado ao sexto disco, *O Descobrimento do Brasil*. "A gente acredita no Brasil. Existem muitas coisas legais. Ficam querendo que a gente seja ladrão, que seja do jeito que eles são. Nós não somos, não", disse o vocalista ao *Jornal do Brasil*, na época do lançamento, em novembro de 1993.

O Descobrimento do Brasil foi o primeiro disco gravado sem Jorge Davidson à frente da direção artística na EMI-Odeon. Demitido da empresa após a troca de presidentes e recém-convidado a integrar o time de outra multinacional, a Sony Music, ele foi substituído por João Augusto, que aos 35 anos já havia passado pela Polygram e tinha em seu currículo produções de especiais musicais exibidos pela TV Globo (A-Ha, Rod Stewart etc.). Assim que assumiu o novo cargo, o profissional percebeu que teria que estudar a relação de Renato Russo, Dado Villa-Lobos e Marcelo Bonfá com a gravadora, um tanto quanto abalada na época.

REBELDES COM CAUSA

Um episódio que marcou o período entre o lançamento do disco *V* e os ensaios para a gravação de *O Descobrimento do Brasil* está na memória de todos os legionários até hoje. Após vender sua fábrica, a EMI-Odeon passou a fazer seus discos na fábrica da Polygram, a Fonobras. Trabalhando na concorrente, o produtor Mayrton Bahia um dia soube que foram encomendadas 300 mil cópias de um disco com sucessos da Legião Urbana. Estranhou, já que a banda sempre foi contra coletâneas. Ligou para Dado Villa-Lobos e descobriu que a multinacional estava planejando fazer o lançamento sem pedir autorização dos músicos. Além do guitarrista, Renato e Marcelo também ficaram furiosos. "Renato entrou numa de querer pichar e nós topamos. A gente era rebelde e Renato ainda tinha a ditadura militar engasgada. Queríamos colocar o dedo na ferida mesmo", diz Bonfá.

Presidente do fã-clube Por Enquanto, Reginaldo Ferreira passou de fã da Legião Urbana a *roadie* de Dado Villa-Lobos: ele foi de penetra na inauguração da loja RockIt!, do guitarrista, e acabou convidado para integrar a trupe. Foi a realização de um sonho para aquele que seguia à risca os mandamentos de seu ídolo, Renato Russo: "Uma vez, vi o Renato falando: 'Não deixe que ninguém diga que seu sonho é babaquice, que o que você quer não vai dar certo.' Passei a seguir esse discurso." No estúdio, assessorava Dado. Na estrada, passou a ser o ajudante de Renato.

Nessa época, frequentava o Estúdio 2 da EMI-Odeon, onde a banda ensaiava para a turnê de *V*, mas ainda não estava familiarizado com o temperamento dos "chefes". Certa noite, obedeceu a uma ordem de Russo, sem esperar o que estava por vir: "Ele pediu para eu ir na rua comprar Color Jet azul. No final do ensaio, os três foram até o andar onde ficava a diretoria da gravadora e saíram pichando tudo. As paredes brancas e os computadores ficaram azuis, o quadro dos Beatles levou tinta e Renato ainda escreveu, só que em inglês: 'Vocês nos tratam como lixo! Nunca mais vocês vão fazer isso.' Deu o maior bafafá no dia seguinte."

Sem saber se seria definitivamente convidada a se retirar do elenco da multinacional, a banda suspendeu os ensaios e ficou aguardando uma posição. Para alegria dos músicos, o presidente recém-empossado da EMI-Odeon, Jô Govaertz, decidiu cancelar o lançamento da coletânea.

DEPOIS DA TEMPESTADE, A CALMARIA

Por essas e outras, João Augusto chegou de mansinho. Começou em abril de 1993, mas só conseguiu se sentir seguro para marcar uma conversa com os integrantes da tão falada Legião Urbana dois meses depois. Foi uma verdadeira lavagem de roupa suja. "Havia duas divergências: a história da compilação e algo sobre royalties. A banda achava que deveria receber duas vezes pelo disco *Música p/ Acampamentos*, que era duplo. A gravadora dizia que era um só", lembra o então diretor artístico.

"Sentamos num restaurante chique e Renato ficou me inquirindo. Ele perguntou: 'Você é muito ligado à MPB, né?' Eu concordei. Ele retrucou dizendo que fazia parte de uma banda de rock. Eu respondi que conhecia muita coisa da Legião e que tinha achado a pichação uma atitude muito rock'n'roll. Aí, ele se abriu: 'João Augusto, a gente não gosta de brigar.' E saiu falando tudo. Memorizei, cheguei na gravadora e fui anotar tudo, para lembrar de ver o que eu poderia fazer", conta João Augusto.

Em agosto de 1993, Renato, Dado e Marcelo foram com Mayrton Bahia para o estúdio Discover, no Jardim Botânico. E tudo aconteceu muito rápido. Em outubro do mesmo ano, o sexto álbum da banda estava pronto, com Legião Urbana assinando a produção junto a Mayrton e uma frase retirada da canção "My Back Pages", de Bob Dylan, estampada na última página do encarte: *"Ah, but I was so much older then, I'm younger than that now"* [em tradução livre, "Ah, mas eu era tão mais velho naquela época, agora sou mais novo do que antes"]. No detalhe, um agradecimento a Leo Jayme, com "y", "pelo dobro" – o músico emprestou seu instrumento –, e uma dedicatória (*in memoriam*) ao amigo baixista Tavinho Fialho, que acompanhou a banda na turnê de *V* e faleceu após sofrer um acidente de carro.

"O disco tem guitarra dedilhada, tem microfonia, tem barulhos e efeitos. Acho que o trabalho está bem variado na sonoridade", declarou Dado ao *Jornal do Brasil* em dezembro de 1993.

Isso se deu depois que os músicos perceberam que podiam experimentar novos instrumentos (ou os dos outros). Bonfá fez teclados para "Perfeição", "A Fonte", "O Descobrimento do Brasil", "Vamos Fazer um Filme", "Um Dia Perfeito" e "Love in the Afternoon". Dado usou o dobro de Leo Jaime em "Só por Hoje" e brincou com o bandolim em "Vinte e Nove", na faixa-título, em "Vamos Fazer um Filme", em "Giz" e em "Só por Hoje". Além de baixo, teclado e violão, Renato arriscou tocar cítara em "Love in the Afternoon" e "Só por Hoje".

"A cena foi a seguinte: ele pegou a cítara e fez: taun, taun, taun, taun... E disse: 'Se o Brian Jones conseguiu, eu consigo.' Mandou ver e ficou bom pra caramba. E eu não consegui tocar cítara", confessou o guitarrista ao *Estado de S. Paulo* cinco meses depois do lançamento do disco.

PROJETOS PARALELOS

Nessa época, Dado já dedicava boa parte de seu tempo aos artistas da RockIt!, loja e selo voltados para novos talentos. Bonfá preferia não falar sobre seus projetos paralelos. "Sempre achei uma loucura isso de nos perguntarem frequentemente quais eram os planos para o futuro após termos passado meses concebendo um novo álbum", comenta o baterista, cuja segunda paixão (depois da música) era o surfe.

Renato também já planejava o repertório de *The Stonewall Celebration Concert*. *Stonewall*, como era chamado pelos mais íntimos, chegou às lojas em 1994. Um ano depois, um ultrainspirado Renato Russo lançou *Equilíbrio Distante*, um disco que resgata suas raízes italianas: após uma viagem à Itália, o cantor gravou apenas canções na língua de sua família (oriunda de Sesto ed Uniti, uma comuna italiana da região da Lombardia, província de Cremona). Sucesso absoluto, o álbum vendeu mais de 1 milhão de cópias. Ambos foram produzidos por Carlos Trilha, que Renato descobriu durante a turnê de *V*. O tecladista acabou virando o braço direito musical do vocalista em sua carreira solo.

"Foi aí que virei produtor musical e, nessa época, sócio do Discover. Passamos tanto tempo no estúdio que acabei levando meu equipamento para uma salinha que era reservada para eles. Esse foi um dos primeiros estúdios a usar Pro Tools no Brasil. Eu já tinha experiência com Midi e sintetizadores, então tive facilidade de me adaptar aos novos softwares", conta Trilha.

INSPIRAÇÃO

Entre 1993 e 1995, Renato estava extraordinariamente inspirado. Queria viver cada minuto como se fosse o último. Compôs como nunca, numa velocidade nova para quem acompanhava sua trajetória e via suas dificuldades toda vez que pintava um disco novo para produzir. Muitos dos dramas foram celebrados nas letras de O Descobrimento do Brasil. Em "Vinte e Nove", por exemplo, ele cita seu problema com o álcool: "Me embriaguei morrendo vinte e nove vezes." E "Só por Hoje" remete ao famoso lema dos Alcoólicos Anônimos, frequentado por Renato. Em entrevista ao Jornal do Brasil, em outubro de 1993, ele amenizou: "O alcoolismo é uma doença como a diabetes." E o tom de esperança predomina na maioria das letras, afinal, o povo tinha conseguido tirar Fernando Collor de Mello do poder em 29 de dezembro de 1992, após o processo de impeachment. Em "Um Dia Perfeito", há um coro de crianças (formado por Nico e Mimi, filhos de Dado, e os amiguinhos Gabri, Antonio, Rafa, Pedro, Juju), ilustrando bem essa nova fase da banda.

"Desde que a gente se conheceu, nós mantemos o mesmo tipo de relação. A banda está junta até hoje porque funcionou como uma química, é difícil explicar. O Dado e o Renato são pessoas 100%. Eu gosto de subir no palco com o grupo superinteiro, super a fim. A relação com o público é legal. A gente vê pais levando seus filhos de 11 e 12 anos aos nossos shows. Muitos garotos que hoje são nossos fãs tinham 6 ou 7 anos quando a gente começou", declarou Bonfá à Folha de S.Paulo, em junho de 1994.

A capa do disco passa a leveza do momento, com Dado de caçador empunhando um bandolim, Bonfá de camponês e Renato de cavaleiro medieval segurando um ramalhete de flores. Os três posaram num campo florido montado especialmente para a foto de Flávio Colker. Houve apenas um contratempo: no dia da sessão, Dado foi assaltado em frente ao estúdio. Levaram o carro e o bandolim, que teve que ser substituído por outro. A mesma inspiração rendeu o florido clipe de "Perfeição", o único com superprodução e o último da banda. "Era para ser um lugar meio idílico, meio fantasia, um lugar lindo. E assim... Era o redescobrimento do que éramos", conta Dado.

Renato estava seguindo à risca o plano que fez depois de chegar ao fundo do poço, na época de V. "O *Descobrimento* tinha que ser um contraponto ao quinto disco, que tinha aquelas músicas quase progressivas, de carga melancólica. Na cabeça do Renato, o novo disco seria uma compilação de singles, de músicas mais pops, curtas. 'Os Anjos', por exemplo, foi feita dessa maneira, de forma consciente. Fizemos esse disco com gás", diz Dado.

Abusando da tecnologia oferecida pelo estúdio Discover, a Legião Urbana consertou tudo o que não estava legal usando o Pro Tools, na época um novo programa para corrigir defeitinhos na gravação digital. "A Legião Urbana foi uma das primeiras bandas a usar Pro Tools no Brasil. Era uma polêmica, porque se discutia muito a qualidade, se era pior ou não", lembra Bonfá.

O vocalista estava bem. E, com o apoio dos parceiros, ficou mais fácil se manter assim: "Ele não estava podendo sentir o cheiro de nada, nem das pessoas nem das coisas, porque isso podia chamar ele para as drogas. E colocava incenso em tudo. Não sei se ele estava mais feliz ou tranquilo, mas vimos que estava se empenhando pela vida, drogando-se menos e tentando se limpar do que era possível, porque ele sabia que, da aids, não tinha jeito. Ele fez o que era possível", lembra Mayrton Bahia.

Com a depressão sob controle, a euforia vinha à tona com muito mais frequência. Em momentos assim, Renato passava a mão no telefone e ligava para o "tio Jorge". Atarefado com os artistas da Sony, Davidson já sabia o que vinha pela frente quando atendia uma ligação e ouvia a voz grave do ex-pupilo: "Às vezes me perturbava, porque era um tempão na linha. Eu não trabalhava na EMI, mas continuava dando conselhos, ouvindo o que ele tinha a dizer sobre o disco... Ele era tratado como artista meu pela equipe da Sony. Quando o disco ficou pronto, mandou para mim e ficou querendo saber o que eu tinha achado."

O TRISTE FIM DOS PALCOS

A turnê de *O Descobrimento do Brasil* foi curta, ou melhor, de poucas datas. "Renato queria e não queria fazer shows. Pedia para marcar no dia do jogo do Brasil na Copa do Mundo. Era quase uma autossabotagem. Fizemos algumas capitais. Perdia-se dinheiro, e fazíamos o que dava", diz Rafael Borges, empresário da banda. No baixo, estava Gian Fabra, substituindo o falecido amigo Tavinho Fialho.

Os shows no Metropolitan, no Rio de Janeiro, foram "memoráveis", segundo João Augusto. Mas nem o diretor artístico da EMI-Odeon conseguia convencer Renato Russo de que ele era bom no palco: "O público dele era como o público dos Beatles. Fiquei impressionado com aquilo e fui falar com ele no final. 'Não, João Augusto, vocês se contentam com pouco. A gente precisa se dar mais', respondeu o Renato. Ele achava que oferecia à plateia menos do que o público oferecia a ele. E isso era um sofrimento enorme."

O último show da turnê e, na verdade, da história da banda aconteceu em Santos, em 14 de janeiro de 1995. No palco do Reggae Night, os músicos viraram alvo dos jogadores de latinhas. Reginaldo Ferreira, o fã que virou *roadie* da banda, catou a primeira. A segunda acertou Renato Russo. A reação foi inesperada: o vocalista deitou-se no chão e cantou assim durante 45 minutos. Da plateia, a única coisa que se via era o braço, que o cantor levantava para olhar o relógio. A ideia era mostrar que estava contando os minutos para aquela apresentação chegar ao fim. E a história de *O Descobrimento do Brasil*, que começou tão bem, acabou assim.

REPERTÓRIO

faixa	título	composição	duração
1	"Vinte e Nove"	Renato Russo	03:43
2	"A Fonte"	Dado Villa-Lobos, Renato Russo, Marcelo Bonfá	03:56
3	"Do Espírito"	Dado Villa-Lobos, Renato Russo, Marcelo Bonfá	03:22
4	"Perfeição"	Dado Villa-Lobos, Renato Russo, Marcelo Bonfá	04:37
5	"O Passeio da Boa Vista"	Dado Villa-Lobos, Renato Russo	02:02
6	"O Descobrimento do Brasil"	Renato Russo, Marcelo Bonfá	05:03
7	"Os Barcos"	Dado Villa-Lobos, Renato Russo	02:52
8	"Vamos Fazer um Filme"	Renato Russo	04:21
9	"Os Anjos"	Dado Villa-Lobos, Renato Russo	02:04
10	"Um Dia Perfeito"	Dado Villa-Lobos, Renato Russo	03:25
11	"Giz"	Marcelo Bonfá, Renato Russo, Dado Villa-Lobos	03:23
12	"Love in the Afternoon"	Dado Villa-Lobos, Renato Russo	04:26
13	"La Nuova Gioventú"	Marcelo Bonfá, Renato Russo, Dado Villa-Lobos	04:03
14	"Só por Hoje"	Dado Villa-Lobos, Renato Russo	04:03

A TEMPESTADE OU O LIVRO DOS DIAS

1996

A fase "limpa" de Renato Russo foi muito bem aproveitada durante as gravações de *O Descobrimento do Brasil*, mas não durou muito, para a tristeza dos outros integrantes da Legião Urbana. O cantor voltou a se engalfinhar com a bebida. Isso significava ter Renato de corpo, mas nem sempre de alma, ao lado de Dado Villa-Lobos e Marcelo Bonfá. Os parceiros já sabiam que produzir ajudava a afastar o cantor das garrafas de Cointreau. Por isso, apoiaram a produção do primeiro e do segundo disco solo de Renato. Depois de *The Stonewall Celebration Concert*, veio *Equilíbrio Distante*, que teve sessões de estúdio suspensas por causa da depressão.

"A questão principal, eu acho, é você conhecer as pessoas com as quais você se relaciona e, principalmente, você ter um grande respeito pela atitude de cada um em relação a você, por mais absurda que possa parecer essa atitude. Aconteceram diversos episódios no trajeto da banda, momentos de altos e baixos. O que eu acho é que a gente passou por cima. E se essas pessoas [Renato e Marcelo] não fossem tão legais, acho que a coisa já teria terminado lá pelo meio", declarou Dado à *Folha de S.Paulo* em junho de 1994.

Enquanto Renato estava às voltas com a finalização do disco com músicas em italiano, Dado e Bonfá trabalhavam junto com o diretor artístico da EMI-Odeon, João Augusto, na remasterização dos seis CDs anteriores, que seriam lançados na caixa "Por Enquanto – 1984/1995". O trabalho foi feito nos estúdios da Abbey Road, na Inglaterra. De acordo com o *Jornal do Brasil*, considerados os números até setembro de 1995, a banda já tinha vendido mais de 3 milhões de discos no Brasil: 435 mil cópias de *Legião Urbana* (1985); 921 mil cópias de *Dois* (1986); 657 mil cópias de *Que País É Este?* (1987); 916 mil cópias de *As Quatro Estações* (1989); 369 mil cópias de *V* (1991) e 329 mil cópias de *O Descobrimento do Brasil* (1993). Legião Urbana era a banda recordista da geração 80.

VOLTANDO AO ESTÚDIO

Em janeiro de 1996, a Legião Urbana mergulhou na produção de um disco que seria duplo e se chamaria *A Tempestade ou O Livro dos Dias*. Renato já não achava boa a ideia de lançar dois, por causa do preço final com que o produto chegaria às lojas. Ficou definido que *A Tempestade* – nome estampado na capa do CD – sairia primeiro quando Dado e Marcelo perceberam que o vocalista, que já sofria com os sintomas da aids e estava totalmente deprimido, não viveria muito mais tempo. O melhor era correr para finalizar um álbum só.

"Ele já estava se sentindo debilitado, mas a gente ainda acreditava na ciência. Líamos notícias sobre coquetéis e tal... O problema foi que o organismo do Renato já estava fraco", conta Dado.

O baterista preferia chamar o novo trabalho da banda de *O Livro dos Dias*, mas esta parte do nome acabou entrando na primeira página do encarte, que trazia também uma frase-recado assinada por Oswald de Andrade: "O Brasil é uma república federativa cheia de árvores e gente dizendo adeus."

"Quando entrei no AR, me surpreendi com a figura dele. Muito magro, ele estava com outra voz. Era outro Renato. Ficamos algum tempo afastados, porque ele estava trabalhando nos projetos dele, e foi um susto", diz Bonfá.

AR era o nome do novo QG da Legião Urbana, localizado na Barra da Tijuca, Zona Oeste do Rio. De cara, houve um desentendimento, porque o estúdio não estava fechado, ou melhor, reservado exclusivamente para os músicos. Eles teriam que dividir as salas com outras bandas. Renato se irritou e aproveitou para fazer disso mais um motivo para evitar acompanhar as gravações. O tecladista Carlos Trilha, companheiro da banda desde a turnê de *V*, participou de quase tudo: "A Legião inaugurou grandes estúdios, esse foi um deles. Não foi usado o Pro Tools, porque o AR ainda trabalhava nos moldes clássicos."

AUSÊNCIA SENTIDA

Renato Russo quase não apareceu durante as gravações do novo álbum, cuja produção ficou pela primeira vez nas mãos de Dado. Apesar de a banda assinar em parceria, foi o guitarrista quem resolveu 99% dos pepinos que surgiram durante o processo. "Eu sentiria um ciúme enorme se fosse outro produtor, mas era o Dado", diz Mayrton Bahia, produtor de todos os outros discos da banda a partir de *Dois*.

O vocalista estava fraco, abatido, quase sem voz. Gravou o primeiro *take* – na verdade, a voz-guia – e não quis voltar para refazer o que ficou ruim. Apenas "A Via Láctea", com versos que remetiam à sua história, mereceu mais a sua atenção: era a música que ele escolheu para ser trabalhada nas rádios. "Tem músicas que não terminamos. Já estava sendo doloroso, penoso e difícil fechar um disco, porque o Renato se ausentou. Achamos melhor nem acabar o segundo. Para mim, foi ruim ter que administrar tudo. Eu tinha que tocar e pensar que aquelas vozes seriam as definitivas. Fora que as músicas tinham um peso emocional. O disco abria com ele cantando, em 'A Via Láctea': 'Quando tudo está perdido...'", lembra Dado.

De janeiro a setembro de 1996, quando o disco foi lançado, o guitarrista viveu uma saga tortuosa. Eram horas no estúdio de dia e mais algumas ao telefone com Renato durante a noite. Trancado em seu apartamento, o vocalista queria saber tudo o que estava acontecendo e como estava ficando o novo trabalho da banda. "Encontrei o Dado, um dia, durante as gravações, e ele disse que eu não imaginava como estava sendo difícil. Ele contou que o Renato ouviu tudo quando estava quase pronto e disse que a única coisa que servia dali era o clique do metrônomo. Dado ficou arrasado. Lembro que abracei ele e disse: 'Não se desespere, porque foi sempre assim.' Mas eu sabia que aquele período estava sendo mais barra-pesada", conta Mayrton Bahia.

Confidente de Renato Russo, Carlos Trilha também sofreu com as ligações durante as madrugadas. Ele não sabia ao certo o que estava acontecendo, pois não teve resposta exata quando quis saber de Dado e Bonfá se o amigo estava doente. "Ele me ligava às duas da manhã, todos os dias. Uma vez, fiquei irritado porque ele sempre dizia 'não gostei' e mandei: 'É muito fácil para você, Sua Majestade Renato Russo, ficar em casa reclamando enquanto eu e Dado estamos no estúdio.' Ele brigou comigo. Disse que estava doente, que a gente estava se esquecendo da intuição e que tínhamos que aprender a trabalhar, porque ele não ia durar para sempre", lembra Trilha.

Bonfá gravava bateria, mas evitava ficar no estúdio muito mais tempo do que o necessário: "O clima era triste. Sempre foi bom estar no estúdio, mas dessa vez não teve graça nenhuma. Renato sempre foi nossa gasolina. Sem ele, ficava tudo vazio. Também insisti para lançarmos um disco simples."

POMBO-CORREIO

Reginaldo Ferreira, o fã que virou *roadie* da Legião Urbana, exerceu um papel importante durante as sessões de mixagem de *A Tempestade*: o de pombo-correio. Reginaldo levava ao apartamento de Renato as fitas entregues por Dado. O vocalista as escutava e mandava de volta pelo *roadie*. Só que, assim como muita gente, o fã não sabia que Renato era portador do vírus HIV. "Ele falava que estava em depressão. Ele usava a expressão 'depressão química'. Um dia, cheguei na casa do Renato e vi ele todo entubado, com enfermeiros em volta. Achei estranho, mas ele disse que estava bem. A partir daquele dia, fiquei grilado", diz Reginaldo.

Jorge Davidson, o homem que levou a Legião Urbana para a EMI--Odeon, foi convidado por Renato a fazer uma visita ao apartamento da rua Nascimento Silva, em Ipanema, assim que *A Tempestade* ficou pronto. O cantor queria saber a opinião do ex-diretor artístico da sua gravadora, que já trabalhava na Sony Music. Jorge sugeriu que o amigo regravasse as vozes, mas Renato foi enfático. "Ele disse que era problema do Dado e que tinha Pro Tools. Eu disse que ele não era cantor de Pro Tools, que era o maior do Brasil, e ele desconversou. Minha ficha foi caindo... Saí de lá, liguei para o Rafael para saber se estava tudo bem. Ele pediu para que eu não falasse nada a ninguém sobre o que tinha acontecido na casa do Renato", conta Jorge.

Esse foi o último encontro do criador com a criatura.

DESPEDIDAS

Pouco antes do lançamento do novo álbum, o empresário Rafael Borges ligou para a família de Renato em Brasília e pediu para que os pais fossem ao Rio de Janeiro fazer companhia para o filho, que já estava em estado terminal. Seu Renato cuidou de Juninho até seus últimos minutos de vida.

A última vez que Reginaldo Ferreira falou com o ídolo foi por telefone. *A Tempestade* tinha acabado de ficar pronto e o *roadie* estava curioso para saber o que Renato tinha achado do resultado final. "Ainda não defini o masculino e o feminino do disco", respondeu o cantor. Reginaldo, lógico, não entendeu nada. Mas era um sinal de que estava chegando a hora de Renato Russo. E foi assim que o cantor se despediu do amigo recente, com mais uma de suas frases filosóficas, só que, dessa vez, sem buscar sentido algum para ela. Reginaldo estava trabalhando num evento em Duque de Caxias, na Baixada Fluminense, quando soube da morte de Renato, em 11 de outubro de 1996. Dez dias antes, ele pressentiu que algo podia estar acontecendo. Dado, que não era de se atrasar, demorou a chegar à sua loja, a RockIt!, onde o *roadie* trabalhava. A mulher do guitarrista, Fernanda Villa-Lobos, confessou ao funcionário que Rafael Borges tinha pedido para Dado visitar Renato. À uma da tarde, o guitarrista entrou na loja e foi direto para sua sala.

Dado chorou trancado no banheiro do apartamento de Renato Russo quando viu o amigo pela última vez, três dias antes de sua morte.

Ao lado de Rafael Borges, fez uma visita meteórica ao cantor, já muito abatido e com pouca capacidade para reconhecer as pessoas. Mas ele se lembrou do guitarrista. E fez questão de se despedir com um "adeus" quando viu os dois indo embora.

REPERTÓRIO

faixa	título	composição	duração
1	"Natália"	Dado Villa-Lobos, Renato Russo, Marcelo Bonfá	03:55
2	"L'Avventura"	Dado Villa-Lobos, Renato Russo, Marcelo Bonfá	04:37
3	"Música de Trabalho"	Dado Villa-Lobos, Renato Russo, Marcelo Bonfá	04:19
4	"Longe do Meu Lado"	Renato Russo, Marcelo Bonfá	04:25
5	"A Via Láctea"	Dado Villa-Lobos, Renato Russo, Marcelo Bonfá	04:39
6	"Música Ambiente"	Dado Villa-Lobos, Renato Russo, Marcelo Bonfá	04:07
7	"Aloha"	Dado Villa-Lobos, Renato Russo, Marcelo Bonfá	05:25
8	"Soul Parsifal"	Renato Russo, Marisa Monte	04:54
9	"Dezesseis"	Dado Villa-Lobos, Renato Russo, Marcelo Bonfá	05:23
10	"Mil Pedaços"	Dado Villa-Lobos, Renato Russo, Marcelo Bonfá	03:22
11	"Leila"	Dado Villa-Lobos, Renato Russo, Marcelo Bonfá	05:22
12	"1° de Julho"	Renato Russo	04:49
13	"Esperando por Mim"	Dado Villa-Lobos, Renato Russo, Marcelo Bonfá	04:21
14	"Quando Você Voltar"	Dado Villa-Lobos, Renato Russo, Marcelo Bonfá	02:53
15	"O Livro dos Dias"	Dado Villa-Lobos, Renato Russo, Marcelo Bonfá	04:18

UMA OUTRA ESTAÇÃO

1997

Onze dias após a morte de Renato Russo, que teve seu corpo cremado e suas cinzas jogadas sobre o jardim do sítio do paisagista Roberto Burle Marx, a EMI Music (a gravadora mudou de nome em 1996) convidou a imprensa para uma entrevista coletiva de Dado Villa-Lobos e Marcelo Bonfá no estúdio da gravadora – o mesmo onde a banda gravou a maior parte de seus discos. Em 22 de outubro de 1996, acompanhados por João Augusto, diretor artístico da EMI na época, os músicos decretaram o fim da história da Legião Urbana. A emoção contagiou todos os presentes.

Alguns dias antes da coletiva, o empresário Rafael Borges declarou, em entrevista ao jornal *O Estado de S. Paulo*, que Dado e Bonfá só lançariam algo novo quando aprovassem a qualidade do produto final. No início, ainda sob estado de choque, os remanescentes ficaram em dúvida sobre lançar os três títulos que faltavam, conforme o contrato assinado com a EMI. Mas a banda, que até ali já tinha vendido mais de 5 milhões de discos, não tinha pressa para decidir.

"No momento adequado, a qualidade do material será avaliada por Dado e Bonfá", declarou Rafael Borges ao jornal. "Há bastante material inédito de qualidade. O que existe dá para suprir qualquer negociação."

Em março do outro ano, Dado decidiu trabalhar nas músicas que sobraram das sessões de gravação de *A Tempestade*. Com esse novo disco de inéditas, seriam escritos os últimos capítulos da história da banda que influenciou a geração dos anos 1980. "Como tínhamos sobras do que seria o álbum duplo, pensei: 'Vamos lançar logo para não ficar nenhuma dúvida. Vamos colocar um ponto final na história dessa banda.' Fui ouvindo e as ideias foram surgindo", conta o guitarrista.

Ao todo, a Legião Urbana gravou 28 canções para o último disco, mas apenas quinze entraram no repertório. Em julho de 1997, *Uma Outra Estação* foi lançado para exorcizar de vez o sofrimento de Dado e de Bonfá. "Legião Urbana acabou e todo mundo sabe disso", declarou Bonfá em entrevista ao *Jornal Hoje*, da TV Globo, em 1997.

APRESENTAÇÃO

Uma Outra Estação abre com apresentações de Renato Russo, Dado Villa-Lobos, Marcelo Bonfá e Renato Rocha, retiradas de uma entrevista concedida pela banda na época do lançamento do álbum *Dois*, em 1986:

"Eu sou Renato Russo, eu escrevo as letras, eu canto..."

"Meu nome é Dado Villa-Lobos, sou guitarrista da Legião Urbana..."

"Eu sou Renato Rocha, baixista da Legião Urbana..."

"Oi! Meu nome é Marcelo Bonfá. Nasci em 1965..."

As falas foram encaixadas na introdução da canção "Riding Song", que não tem Renato Rocha nos créditos de autoria, mas ganhou essa participação falada do ex-baixista da Legião Urbana. Os legionários lembram que Negrete foi até o estúdio para gravar o baixo e se mostrou feliz com o convite. Cantado por Dado e Bonfá, o refrão ("Eu já sei o que eu vou ser quando eu crescer") foi criado pelo guitarrista. "A ideia seria lembrar que éramos muito jovens, que o tempo tinha passado e que nos tornamos aquilo ali", comenta Dado.

Aí vem a faixa-título, seguida por "As Flores do Mal", "La Maison Dieu", "Clarisse" e "Schubert Ländler", uma canção instrumental de Schubert gravada apenas por Carlos Trilha ao piano. "Essa música foi uma ideia do Renato. Fui à Biblioteca Nacional e consegui a partitura. Não sei por que ele queria que eu gravasse aquilo, acho que para eu recriar de alguma maneira aquela música erudita. Gravei dúzias de *takes* até ele escolher esse que está no disco. Talvez tenha sido minha gravação mais difícil, apesar de a música ser simples", diz Trilha.

O tecladista, que passou a fazer parte da história da Legião Urbana, lembra que chorou quando escutou "Sagrado Coração" finalizada. Ele já tinha gravado sua parte no estúdio AR, onde Dado produzia *Uma Outra Estação* com a ajuda de Tom Capone. Mas a emoção foi grande demais quando, a convite do guitarrista, ouviu a faixa sem a voz de Renato Russo: "Fiquei em prantos, porque aquilo ali simbolizava a ausência dele."

A letra está no encarte do CD, seguida da frase "Esta canção não possui registro da voz de Renato" e do nome do vocalista da Legião Urbana, apesar de a autoria da canção ser também de Trilha. Por distração, o músico não pleiteou o crédito na época do lançamento de *Uma Outra Estação*. Em 2009, a parceria foi reconhecida pela família de Renato Russo, que morreu antes de registrar a canção, mas eternizou a informação numa entrevista concedida em 1995 ao jornalista Marcelo Fróes, editor do jornal *International Magazine*.

UM NOME DE PESO NA COPRODUÇÃO

Falecido em 2004, Tom Capone – na verdade Luís Antônio Ferreira Gonçalves – nasceu em Brasília, em 1966. Foi guitarrista da Peter Perfeito, banda contratada da RockIt!, selo de Dado. No Rio de Janeiro, iniciou sua carreira de produtor, tornando-se um dos mais bem-sucedidos nomes do mercado fonográfico brasileiro. Trabalhou em discos de Gilberto Gil, Lenine, Raimundos e Maria Rita, e fez parte da produção de *Uma Outra Estação*. Apesar de seu nome não constar nos créditos de *A Tempestade*, ele ajudou Dado durante o processo de gravação do disco. Então, comandou a "arrumação" do álbum seguinte, lançado após a morte de Renato Russo, e assinou a coprodução ao lado do guitarrista. Na época, Capone era diretor do AR Estúdios.

"Entrei nesses projetos para dar uma força para o Dado. Tanto que no *Tempestade* não tem meus créditos, pois eu só produzi as guitarras, apesar de estar ligado em tudo que eles estavam fazendo. Aí, quando o Renato morreu, o Dado me chamou para fazermos o outro disco", contou Capone ao site *tantofaz.net* em 2000.

A guitarra, o violão e até a percussão de Capone estão em *Uma Outra Estação*, que tem também participação de Bi Ribeiro, baixista dos Paralamas do Sucesso, em "Antes das Seis" e em "Travessia do Eixão". A música que dá nome ao disco anterior, "A Tempestade", acabou entrando nesse álbum. E canções vetadas – às vezes por Renato Russo – em outros trabalhos foram lembradas durante as gravações. "Clarisse" é uma delas. "Eu pedi para que tirássemos essa música do repertório de *A Tempestade*, porque ela fala sobre uma garota de 16 anos que se corta com canivete, trancada no banheiro. É muito pesada", conta Bonfá.

"Dado Viciado" é uma composição do início da carreira da Legião Urbana. Fala sobre um cara que se transformou depois de tanta heroína. Com medo de que o protagonista fosse confundido com o guitarrista da banda, a música acabou de fora dos primeiros discos. Mas entrou no repertório de *Uma Outra Estação*.

VIBRAÇÃO LEGIONÁRIA

O disco saiu com a capa ilustrada por Marcelo Bonfá: "Sempre gostei de desenho. Brasília me inspirou muito. Essa capa tem os traços de Brasília."

A penúltima página do encarte conta com uma lista de instituições e um elegante apelo: "Sinta-se bem contribuindo com as seguintes instituições que precisam da sua ajuda."

No fim, a frase *"Urbana Legio Omnia Vincit"* (em latim, "Legião Urbana vence tudo") – que aparece em todos os discos da banda, menos em *A Tempestade* – volta a estampar o livrinho que traz as letras e os créditos das gravações.

"Acho esse disco mais vibrante do que *A Tempestade*. Ele resume uma história de mais de uma década, de doze anos, de pessoas que ficaram juntas. Renato se foi, mas ele está ali. Tem uma vibração boa", define Dado.

A primeira página traz a frase definitiva: "Ouça este disco da primeira à última faixa. Esta é a história de nossas vidas."

REPERTÓRIO

faixa	título	composição	duração
1	"Riding Song"	Dado Villa-Lobos, Renato Russo, Marcelo Bonfá	03:02
2	"Uma Outra Estação"	Dado Villa-Lobos, Renato Russo, Marcelo Bonfá	03:58
3	"As Flores do Mal"	Dado Villa-Lobos, Renato Russo, Marcelo Bonfá	04:32
4	"La Maison Dieu"	Dado Villa-Lobos, Renato Russo, Marcelo Bonfá	06:53
5	"Clarisse"	Dado Villa-Lobos, Renato Russo, Marcelo Bonfá	10:32
6	"Schubert Ländler"	Schubert	01:09
7	"A Tempestade"	Dado Villa-Lobos, Renato Russo, Marcelo Bonfá	04:14
8	"High Noon (Do Not Forsake Me)"	Dimitri Tiomkin, Ned Washington	01:29
9	"Comédia Romântica"	Dado Villa-Lobos, Renato Russo, Marcelo Bonfá	02:55
10	"Dado Viciado"	Renato Russo	02:32
11	"Marcianos Invadem a Terra"	Renato Russo	02:36
12	"Antes das Seis"	Dado Villa-Lobos, Renato Russo	03:10
13	"Mariane"	Renato Russo	03:15
14	"Sagrado Coração"	Renato Russo	06:29
15	"Travessia do Eixão"	Nonato Veras, Nicolas Behr	03:36

DISCOS

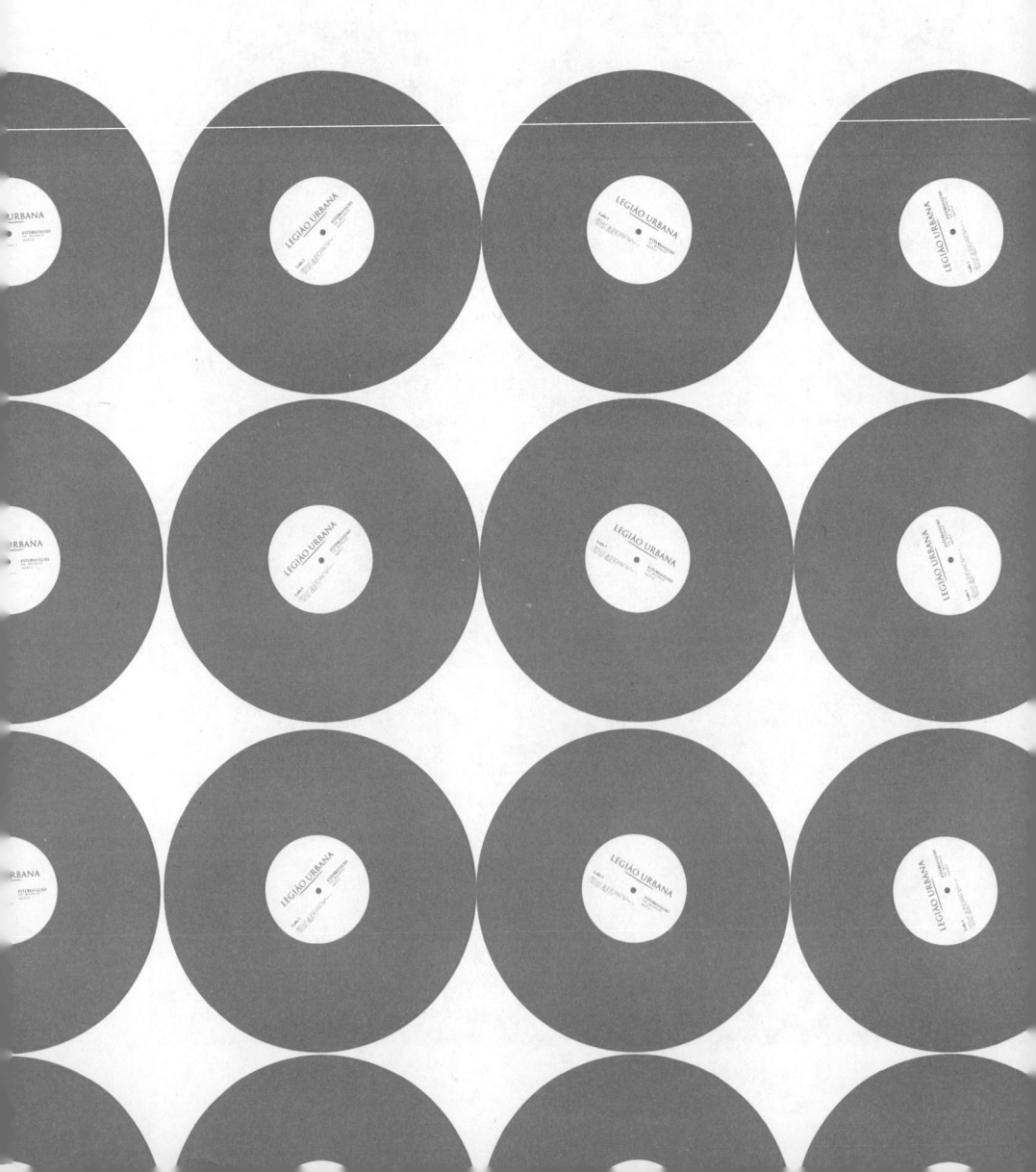

AO VIVO E COLETÂNEAS

MÚSICA P/
ACAMPAMENTOS

1992

Ceder à ideia de fazer uma coletânea não foi exatamente fácil nem rápido. Depois do episódio em que o estúdio da EMI-Odeon acordou todo rabiscado de tinta Color Jet, foram necessárias muitas conversas para que a Legião Urbana e os executivos da gravadora chegassem a um acordo e lançassem *Música p/ Acampamentos*. A primeira coletânea só sairia se fosse do jeito deles. Para a banda, as vantagens desse novo produto seriam dinheiro e tempo. Isso mesmo. Com a suspensão da turnê de *V*, Renato Russo ganhou tempo para se dedicar a seu tratamento na clínica Vila Serena, enquanto, junto aos outros integrantes e ao empresário Rafael Borges, iniciava o trabalho no projeto que reuniria versões acústicas de algumas músicas e gravações de shows.

Renato participou, como sempre, planejando o processo, coordenando as escolhas do repertório, ou seja, idealizando o que seria a coletânea ideal. Segundo Rafael Borges, foi o próprio vocalista quem deu a ideia de fazer o álbum duplo, após uma conversa em que todos se deram conta de que, com a interrupção da turnê, não só os fãs sairiam no prejuízo, mas também os integrantes da banda e toda a equipe que tinha trabalhado duro pela montagem do espetáculo, da agenda e da produção dos shows, tanto os realizados quanto os cancelados. "No fundo, ele queria e sabia de tudo... Do trabalho, do envolvimento de todos... Fomos conversando sobre isso, entendendo o tamanho da expectativa de todo mundo... Então, achamos uma saída, que foi produzir um trabalho para fazer uma grana. Não foi um álbum de carreira, foi um disco para a gente levantar recurso", lembra Rafael.

Evidentemente, como diz Rafael, "ele jamais faria algo puramente mercantilista". Houve uma dedicação com o intuito de dar aos fãs algo que fosse relevante, e não uma simples repetição. A banda tratou de resgatar *takes* feitos em programas de rádio, em ensaios e em shows para compor um disco ao vivo. Constam no repertório músicas gravadas em shows no morro da Urca, no Rio de Janeiro, em agosto de 1986, e no Parque Antártica, como é conhecido o famoso Estádio Palestra Itália, em São Paulo, em agosto de 1990. Também estão lá registros de apresentações na rádio Transamérica FM do Rio e na Rádio Cidade, também carioca, além de versões apresentadas em 1992, no *Acústico MTV* da banda. Tudo o que foi recuperado foi dividido em dois CDs. Uma frase na primeira página do encarte explica: "À exceção de 'A Canção do Senhor da Guerra' e 'Mais do Mesmo', todas as canções foram gravadas no primeiro *take*. As versões de 'Eu Sei', 'Mais do Mesmo' e 'On the Way Home' são *outakes* não exibidos no programa final do *Acústico MTV*. À exceção de edição, mixagens e *noise-filters*, as fitas originais não foram retocadas."

Gravada em dois canais durante um show em 23 de agosto de 1986 no morro da Urca, "Ainda É Cedo" foi transcrita de uma fita K-7 para o CD. Já "A Fábrica", "Daniel na Cova dos Leões", "Maurício", "Há Tempos" e o pot-pourri de "Soldados" com "Blues da Piedade" e "Faz Parte do Meu Show", sucessos de Cazuza, e com "Nascente", hit de Flávio Venturini, foram registradas em 24 canais durante o show do Parque Antártica, em 12 de agosto de 1990, assim como o pot-pourri de "Pais e Filhos" com "Stand by Me". A homenagem a Cazuza foi incluída no repertório dos shows da Legião Urbana logo após a morte do cantor e compositor, em 7 de julho de 1990.

Tanto o pot-pourri que une "A Montanha Mágica" a "You've Lost That Lovin' Feelin'", "Jealous Guy" e "Ticket to Ride" quanto "A Dança" também contaram com dois canais na gravação para a Transamérica FM, num dos estúdios da EMI-Odeon, em 7 de julho de 1992. Quatro anos antes, em 17 de dezembro de 1988, a Legião Urbana gravou "Baader-Meinhof Blues" no estúdio da rádio. Para a transmissão da Cidade FM, a banda passou pela rádio em 11 de agosto de 1992, levando "Música Urbana 2". Canções que acabaram não sendo exibidas no programa *Acústico MTV*, "O Teatro dos Vampiros", "Eu Sei", "'Índios'", "Mais do Mesmo" e "On the Way Home" foram aproveitadas na coletânea.

Música p/ Acampamentos traz apenas uma faixa registrada em estúdio. "A Canção do Senhor da Guerra" era inédita nos discos da Legião Urbana, mas já tinha sido incluída na trilha sonora de um programa da TV Globo. A faixa estreou como "O Senhor da Guerra" no LP *A Era dos Halley*, da série infantil homônima exibida pela emissora entre novembro de 1985 e maio de 1986. O especial foi mais uma das intervenções artísticas da época inspiradas na passagem do cometa Halley pela Terra. Num dos episódios, a banda participou interpretando a faixa para os personagens, com os integrantes usando roupas medievais e Renato Russo, um chapéu estilo viking (com chifres). O disco, lançado pela Som Livre e com produção de Guto Graça Mello, reuniu Tim Maia, Roupa Nova, Baby Consuelo, Sempre Livre, Rosana e Guilherme Lamounier, Titãs, Sérgio Dias, Txã e Gabriela. Para *Música P/ Acampamentos*, o título foi alterado para "A Canção do Senhor da Guerra" e a faixa ganhou uma nova versão: Renato entrou em estúdio sozinho e, acompanhado de uma bateria eletrônica, gravou todos os instrumentos e a voz.

Um registro inédito e raro de uma entrevista de Raul Seixas que circula pela internet dá a entender que, de início, "Senhor da Guerra" foi encomendada a ele. "Eu acabei de fazer uma música agora e vou levar amanhã para o Rio. Eu vou ser o 'Senhor da Guerra'. Posso até botar para você e você gravar. Eu acabei de fazer ontem. Eu sou o Senhor da Guerra", diz Raul para a interlocutora não reconhecida, mostrando a ela uma versão voz e violão da sua então nova composição. "O Senhor da Guerra, de Raul Seixas e de Lena Coutinho", diz ele na gravação antes de executar a faixa. Para a entrevistadora, Raul explica que é uma homenagem ao cometa Halley. Por algum motivo desconhecido – visto que o produtor Guto Graça Mello diz não se lembrar de absolutamente nada em relação à trilha sonora do programa –, a música de Raul ficou de fora do disco e deu lugar à da Legião Urbana.

Com projeto gráfico de Fernanda Villa-Lobos e Gualter Pupo e ilustrações de Marcelo Bonfá, *Música p/ Acampamentos* foi mixado em novembro de 1992. O encarte dá créditos para o ex-baixista da Legião Urbana Renato Rocha em "Ainda é Cedo" e "Baader-Meinhof Blues", para os músicos convidados Fred Nascimento (violão), Bruno Araújo (baixo) e Mú Carvalho (teclados) – nas gravações advindas dos shows de São Paulo – e para Sérgio Serra (violão e guitarra), Tavinho Fialho (baixo) e Carlos Trilha (teclados) – nas gravações do Rio. "Uma oportunidade de recapitular todas as fases do grupo", declarou Dado Villa-Lobos, em outubro de 1993, ao *Jornal do Brasil*.

Em 1995, três anos depois de *Música p/ Acampamentos* chegar às lojas, ao comentar a lata com os discos remasterizados da Legião Urbana lançada pela gravadora, Renato confirmou o sentimento de que a coletânea era um retrato da história da banda para ficar para a eternidade: "Esse CD duplo tem todas as formações da banda e gravações que devem ficar como estão."

REPERTÓRIO DISCO 1

faixa	título	composição	duração
1	"Fábrica"	Renato Russo	04:10
2	"Daniel na Cova dos Leões"	Renato Russo, Renato Rocha	03:18
3	"A Canção do Senhor da Guerra"	Renato Russo	04:57
4	"O Teatro dos Vampiros"	Dado Villa-Lobos, Renato Russo, Marcelo Bonfá	04:05
5	"Ainda É Cedo"	Dado Villa-Lobos, Renato Russo, Marcelo Bonfá, Ico Ouro Preto	03:35
6	"Gimme Shelter"	Mick Jagger, Keith Richards	02:48
7	"Baader-Meinhof Blues"	Dado Villa-Lobos, Renato Russo, Marcelo Bonfá	04:59
8	"A Montanha Mágica/You've Lost That Loving Feeling/Jealous Guy/Ticket to Ride"	Dado Villa-Lobos, Renato Russo, Marcelo Bonfá/ Barry Mann, Cynthia Weil, Phil Spector/ John Lennon/ John Lennon, Paul McCartney	10:03
9	"Eu sei"	Renato Russo	02:59
10	"'Índios'"	Renato Russo	04:57

REPERTÓRIO DISCO 2

faixa	título	composição	duração
1	"A Dança"	Dado Villa-Lobos, Renato Russo, Marcelo Bonfá	03:44
2	"Mais do Mesmo"	Dado Villa-Lobos, Renato Russo, Renato Rocha, Marcelo Bonfá	03:32
3	"Soldados/ Blues da Piedade/ Faz Parte do Meu Show/Nascente"	Renato Russo, Marcelo Bonfá/ Frejat, Cazuza/ Renato Ladeira, Cazuza/Flávio Venturini, Murilo Antunes	07:55
4	"Música Urbana 2"	Renato Russo	03:17
5	"On the Way Home"	Neil Young	02:44
6	"Maurício"	Dado Villa-Lobos, Renato Russo, Marcelo Bonfá	03:09
7	"Há Tempos"	Dado Villa-Lobos, Renato Russo, Marcelo Bonfá	03:03
8	"Pais e Filhos/ Stand by Me"	Dado Villa-Lobos, Renato Russo, Marcelo Bonfá/ Ben E. King, Jerry Leiber, Mike Stoller	06:39
9	"Faroeste Caboclo"	Renato Russo	09:20
10	"Exit Music: Rhapsody in Blue"	George Gershwin	01:06

MAIS DO MESMO

1998

Dois anos após a morte de Renato Russo, os remanescentes da banda, Dado Villa-Lobos e Marcelo Bonfá, se uniram a Rafael Borges, o empresário, e produziram mais uma coletânea, agora, sim, um disco reunindo faixas já gravadas e já conhecidas. *Mais do Mesmo* é a mais perfeita tradução dos álbuns *greatest hits*. Como diz o jornalista Arthur Dapieve no texto de apresentação publicado no encarte do CD, "nenhuma das faixas exige maiores floreios de apresentação. Elas estão aí, como se estivessem desde sempre, são músicas incorporadas ao inconsciente coletivo, dessas que a gente cantarola sem nem saber por quê são clássicos. E os clássicos são clássicos porque sempre devem ser ouvidos, revistos e relidos".

O repertório do álbum é composto por três canções do primeiro disco ("Será", "Ainda É Cedo" e "Geração Coca-Cola"), três do segundo ("Eduardo e Mônica", "Tempo Perdido" e "'Índios'"), duas do terceiro ("Que País É Este" e "Faroeste Caboclo"), três do quarto ("Há Tempos", "Pais e Filhos" e "Meninos e Meninas"), uma do quinto ("Vento no Litoral"), duas do sexto ("Perfeição" e "Giz"), uma do sétimo ("Dezesseis") e uma do oitavo e último ("Antes das Seis"). O projeto gráfico, muito simples, é de Barrão e Fernanda Villa-Lobos. O nome de Renato Rocha aparece como integrante da banda até a faixa 8. Em seu texto, Dapieve conta que *Mais do Mesmo* era para ser o nome do disco que acabou saindo como *Que País É Este 1978/1987*.

Depois dessa, outras compilações, tanto da Legião Urbana quanto de Renato Russo, foram lançadas, mas não as destaco aqui porque não foram produzidas por integrantes da banda nem trouxeram qualquer novidade. Entre elas estão *Renato Russo – Para Sempre*, de 2001, o CD duplo *Série Bis – Renato Russo*, de 2008, *Perfil*, de 2010, e *Identidade*, de 2012.

REPERTÓRIO

faixa	título	composição	duração
1	"Será" (do álbum *Legião Urbana*, de 1984)	Dado Villa-Lobos, Renato Russo, Marcelo Bonfá	02:30
2	"Ainda É Cedo" (do álbum *Legião Urbana*, de 1984)	Dado Villa-Lobos, Renato Russo, Marcelo Bonfá, Ico Ouro Preto	03:57
3	"Geração Coca-Cola" (do álbum *Legião Urbana*, de 1984)	Renato Russo	02:22
4	"Eduardo e Mônica" (do álbum *Dois*, de 1986)	Renato Russo	04:31
5	"Tempo Perdido" (do álbum *Dois*, de 1986)	Renato Russo	05:02
6	"'Índios'" (do álbum *Dois*, de 1986)	Renato Russo	04:17
7	"Que País É Este" (do álbum *Que País É Este 1978/1987*, de 1987)	Renato Russo	02:57
8	"Faroeste Caboclo" (do álbum *Que País É Este 1978/1987*, de 1987)	Renato Russo	09:04
9	"Há Tempos" (do álbum *As Quatro Estações*, de 1989)	Dado Villa-Lobos, Renato Russo, Marcelo Bonfá	03:17
10	"Pais e Filhos" (do álbum *As Quatro Estações*, de 1989)	Dado Villa-Lobos, Renato Russo, Marcelo Bonfá	05:08
11	"Meninos e Meninas" (do álbum *As Quatro Estações*, de 1989)	Dado Villa-Lobos, Renato Russo, Marcelo Bonfá	03:23
12	"Vento no Litoral" (do álbum *V*, de 1991)	Dado Villa-Lobos, Renato Russo, Marcelo Bonfá	06:06

13	"Perfeição" (do álbum *O Descobrimento do Brasil*, de 1993)	Dado Villa-Lobos, Renato Russo, Marcelo Bonfá	04:37
14	"Giz" (do álbum *O Descobrimento do Brasil*, de 1993)	Renato Russo, Dado Villa-Lobos, Marcelo Bonfá	03:23
15	"Dezesseis" (do álbum *A Tempestade*, de 1996)	Dado Villa-Lobos, Renato Russo, Marcelo Bonfá	05:23
16	"Antes das Seis" (do álbum *Uma Outra Estação*, de 1997)	Dado Villa-Lobos, Renato Russo	03:10

ACÚSTICO MTV

1999

Ser convidado para gravar um *Acústico MTV* significava simplesmente entrar para a história. Mas isso não estava tão claro quando a Legião Urbana foi abordada pela equipe da emissora, recém-chegada ao Brasil, e chamada para registrar seus sucessos em versões desplugadas para um programa a ser exibido pelo canal, na época ainda só transmitido via UHF a quem tivesse antena parabólica. Até porque, naquele momento, não se imaginava que o produto final viraria CD, DVD e VHS, nem se podia prever o sucesso que o programa faria ao longo de sua existência (no Brasil, até 2012). O disco e o vídeo mesmo só saíram em 1999, apesar de o show ter acontecido em 28 de janeiro de 1992, num espaço do Cine Haway, um cinema na época desativado.

O formato era novo. Nos Estados Unidos, o primeiro MTV *Unplugged* foi ao ar em 26 de novembro de 1989, com Squeeze, Syd Straw e Elliot Easton tocando sem guitarras. No Brasil, a estreia se deu em 1991, com o Barão Vermelho. Em 1992, ano seguinte à apresentação de Paul McCartney no canal americano, seria a vez de Renato Russo, Dado Villa-Lobos e Marcelo Bonfá experimentarem a mudança no jeito de tocar ao vivo.

Não foi fácil convencer o trio a montar o show. Fazer um clipe era a ideia inicial de Rogério Gallo, diretor-geral da emissora na época do *Acústico MTV*, mas contratado primeiramente como diretor do núcleo musical um ano e pouco antes de o canal ser lançado, em 20 de outubro de 1990. Mas a demora na negociação mudou o rumo da conversa. "Eu queria muito fazer um clipe para incluir na nossa programação. Mas, como estava difícil negociar o projeto, no qual colocaríamos muita energia, surgiu a ideia de trazer a banda para o *Acústico*", conta Rogério.

Chegar a um consenso em relação ao novo convite também levou tempo. Na verdade, o projeto foi cancelado e retomado mais de dez vezes. Não só porque a banda pedia explicações sobre cada detalhe, mas também pelas atitudes inusitadas de Renato Russo, que divertiam, mas demandavam tempo de Gallo: "Consumiu muito tempo. Até entrar em estúdio, parecia que a negociação ia ser infinita. Foi trabalhoso, mas não pesado. Lembro que, num jantar que tivemos no Rio de Janeiro, Renato, que sempre me tratou muito bem e com muito carinho, de repente levantou e saiu do restaurante. Ficamos todos sem entender, perguntando uns aos outros o que tinha acontecido. Até que ele voltou com um saco de marshmallow, dizendo que achou que eu ia gostar. Sei lá de onde ele tirou esse negócio, mas levei um tempo para retomar o assunto principal enquanto comíamos o doce."

O diretor participou da estruturação de toda a programação e, quando trouxe o novo programa dos Estados Unidos para o Brasil, ainda teve que aprender junto à sua equipe a transpor os shows dos artistas convidados para o novo formato. Do projeto original, veio um livro de produção, um pacote de mais de quinhentas páginas contendo registros de todas as reuniões, *riders* (listas de equipamento de som e luz usados nos shows) e mapas de palco (indicando as posições dos equipamentos dos shows) usados nas produções acústicas anteriores. Um dos contratados da MTV para cuidar do áudio do projeto, o coordenador de gravação Pena Schmidt, lembra que "o primeiro trabalho foi ler e decifrar o código, o padrão do programa, descobrir exatamente o que era e o que não era um *Acústico MTV*, para que se tivesse o sentimento de ver uma banda tocando sem amplificação, junto dos fãs, uma coisa inicialmente bem íntima, como se fosse numa sala de estar. Tudo precisava ser microfonado, nada de fios saindo dos instrumentos, e nenhum deles elétrico".

Quando Pena Schmidt assumiu o som do *Acústico MTV* – depois de um período sabático que sucedeu quase dez anos como executivo na gravadora Warner Music –, seu trabalho era respeitar o formato do programa. E, ao mesmo tempo, lidar com as necessidades dos músicos. "Para conseguir um resultado perfeito na sonorização do programa de TV, levei para o local uma unidade móvel de gravação ao vivo de discos, a Audiomobile, de Egidio Conde, com microfones profissionais e técnicos especializados, o Carlos Minami Aru e o Julian Conde. O áudio foi entregue mixado em estéreo, para ser usado na fita de vídeo, e Egidio fez uma gravação de reserva em formato digital, em oito canais. O Rogério Gallo e o Adriano Goldman, que fizeram a direção do *Acústico MTV*, se divertiram com luzes e câmeras enquanto o áudio estava sob controle. E todo mundo ficou feliz quando acabou", conta Pena.

Com a Legião Urbana, foi especialmente difícil fazer a transposição sonora. "Os meninos da Legião eram legítimos pós-punks que faziam questão de não ter apuro técnico. Eles mal afinavam seus instrumentos, e isso fazia parte do número. Para eles, tocar era uma atividade que requeria esforço", define Pena Schmidt, que precisou lidar com muitas reclamações: "Mas havia uma lógica, de precisar se adaptar ao volume baixo das cordas do violão, de conseguir ouvir a voz sem amplificação... Não havia a alternativa que eles queriam. O jeito de pegar na vassourinha." A menção é devido à lembrança das questões levantadas por Bonfá, que, mesmo com o contrato assinado, recusava-se a trocar as baquetas pela vassourinha de jazz.

"O *Acústico MTV* dava trabalho, porque tinha que ensaiar, refazer arranjos, ou seja, sair da zona de conforto. E eles achavam que as músicas deles não iam funcionar acusticamente. Mas lembro que as maiores instabilidades vinham do Renato, pois ele achava que ia se expor muito mudando arranjos", conta Rogério Gallo.

Administrar os dramas do vocalista virou especialidade de Gallo não apenas durante a pré-produção do programa, mas também no dia de sua gravação. A última tentativa de suspensão do projeto por parte de Renato se deu na hora de subir ao palco. Ou alguns minutos antes. O nervosismo foi tão grande que o diretor é incapaz de puxar da memória: "Eu já estava no palco quando tomei esse último susto. A plateia já estava ali, e eu, terminando de montar o palco no meio dela, com as câmeras ligadas e um microfone na mão fazendo os últimos testes, quando alguém da produção me chamou e disse para eu pegar o carro e ir buscar o Renato porque ele ligou avisando que tinha desistido. Corri desesperado para o hotel onde a banda estava hospedada e, junto com o empresário Rafael Borges, consegui dar mais um nó em pingo d'água. Pior foi que ele estava no maior bom humor e a questão era algo menor, alguma dúvida dele em relação ao repertório que não consigo me lembrar."

Tudo resolvido, era hora de finalmente a Legião Urbana começar o show. Parecia estar tudo certo, mas ainda havia uma questão a ser resolvida: os ânimos da plateia. Acostumados a cantar mais alto do que o próprio Renato nos shows, os fãs não entenderam que o formato acústico exigia um clima intimista. "Para a galera do fã-clube, essa gravação não foi legal. A MTV contratou um monte de modelo e botou lá na frente, e nós ficamos lá atrás. Alguém ainda falou: 'Vocês não podem cantar, não podem bater palma, não podem fazer nada!'", diz Reginaldo Ferreira, o fã que depois veio a trabalhar com a banda.

Rogério Gallo nega que houvesse gente contratada assistindo ao show, mas confirma a importância do silêncio e das manifestações menos espalhafatosas: "A plateia estava cheia de convidados, mas ninguém ganhando cachê. Eu tive problema na hora, uma superdiscussão com a plateia, porque precisei parar para explicar o que era um show acústico e que, se os caras começassem a gritar junto, teríamos jogral o tempo inteiro. Eu tinha consciência da emoção de estar ali pertinho, mas a nossa responsabilidade era enorme. Depois de acertado, o clima foi ótimo até o final. É só ver nos vídeos como o Renato está alegre."

Quem viu o conforto de Renato Russo, Dado Villa-Lobos e Marcelo Bonfá ali de perto ou pela televisão, quando o programa foi ao ar, não pôde imaginar o drama que ocorreu. Posicionado entre o guitarrista e o baterista, o vocalista fez piadas e interagiu com a plateia o tempo todo entre uma música e outra. Uma das brincadeiras feitas por ele no pequeno intervalo virou o grande hit do ano. "Eu ia até tocar uma do Menudo. O quê? Vocês acham que é piada!", disse Renato logo depois de apresentar "Pais e Filhos". Ao ouvir um dos diretores pedir um tempo para a troca de fitas das câmeras, ele se empolgou, mesmo titubeando: "Ah, então eu posso tocar a do Menudo, só para vocês (...) Não vou cantar a do Menudo, não. Eu fico com vergonha. Pode? Bem, não tá gravando. Eu pedi um intervalo, né? Então, joia. É assim. É tão bonita... É cafona, mas é bonita!" E puxou "Hoje a Noite Não Tem Luar", uma versão de Carlos Colla para "Hoy Me Voy Para México", sucesso da boy band porto-riquenha composto por A. Monroy Fernandez e C. Villa de La Torre.

"Hoje a Noite Não Tem Luar" foi uma das músicas mais tocadas nas rádios em 1999, ano do lançamento do CD. Uma surpresa, já que não se sabia qual seria a reação dos fãs ao receber um disco póstumo que não tinha sido planejado antes. Sorte de Dado e Bonfá e da equipe da EMI Music, que receberam o material com qualidade enviado por Pena e Egidio, não sem que antes houvesse uma negociação da multinacional com os dois, únicos detentores do áudio. Convidado para cuidar do projeto, Torcuato Mariano, músico que já tinha acompanhado Djavan, Gal Costa, Cazuza e outros e que assumiu o posto de João Augusto como diretor artístico da gravadora, diz que não foi preciso muito esforço para transformar o registro para a TV num dos álbuns mais celebrados da Legião Urbana. "Quando abrimos as fitas e vimos que tinham uma qualidade ótima, partimos para Los Angeles, para a mixagem com Moogie Canazio, que já trabalhou com Caetano Veloso e Maria Bethânia, e para a masterização com Bernie Grundman", conta Torcuato, que afirma que teve uma "participação discreta".

No encarte do CD, Dado assina um texto que celebra a empreitada: "No início de 1992 resolvemos que, em vez de produzirmos um 'videoclip' para o lançamento do disco *V*, iríamos aceitar o convite da MTV para a gravação do então 'novo programa' *Acústico*. 'Joia! Não temos que fazer clip!', ouvia-se em coro. O que definitivamente se transformou em mais um estimulante desafio. Pensávamos em imagem, um megavideoclip se estendendo por mais de uma hora no ar, suprindo, assim, nossa dificuldade em cumprir as obrigações em relação à promoção de nosso trabalho. Naquele momento, a marca *Acústico* estampada na capa de um disco não tinha o 'sentido' que tem hoje, não cogitávamos a possibilidade de se transformar o programa da televisão em disco. Felizmente não perdemos a oportunidade de registrar na íntegra o áudio da apresentação, o que nos traz de volta a Legião Urbana interpretando ao vivo, espontânea e surpreendentemente à vontade, nossas inesquecíveis canções e também inéditas versões com apenas dois violões, bateria, percussão e uma grande e inigualável voz."

REPERTÓRIO CD E DVD

faixa	título	composição	duração
1	"Baader-Meinhof Blues"	Dado Villa-Lobos, Renato Russo, Marcelo Bonfá	05:03
2	"'Índios'"	Renato Russo	05:28
3	"Mais do Mesmo"	Dado Villa-Lobos, Marcelo Bonfá, Renato Russo, Renato Rocha	04:24
4	"Pais e Filhos"	Dado Villa-Lobos, Renato Russo, Marcelo Bonfá	06:19
5	"Hoje a Noite Não Tem Luar"	Alejandro Monroy Fernandez, Carlos Villa de La Torre; versão: Carlos Colla	04:31
6	"Sereníssima"	Dado Villa-Lobos, Renato Russo, Marcelo Bonfá	04:57
7	"O Teatro dos Vampiros"	Dado Villa-Lobos, Renato Russo, Marcelo Bonfá	05:36
8	"On the Way Home/ Rise"	Neil Young, John Lydon, William Laswell	06:50
9	"Head On"	William Reid, James Reid	02:49
10	"The Last Time I Saw Richard"	Joni Mitchell	03:39
11	"Metal Contra as Nuvens"	Dado Villa-Lobos, Renato Russo, Marcelo Bonfá	09:21
12	"Há Tempos"	Dado Villa-Lobos, Renato Russo, Marcelo Bonfá	03:45
13	"Eu Sei"	Renato Russo	03:55
14	"Faroeste Caboclo"	Renato Russo	09:53

COMO É QUE SE DIZ EU TE AMO

2001

Quarto álbum lançado após Renato Russo sair de cena, o CD duplo *Como É que Se Diz Eu Te Amo* é o registro de dois shows realizados no Metropolitan, no Rio de Janeiro, nos dias 8 e 9 de outubro de 1994, durante a turnê de *O Descobrimento do Brasil*, e chegou às lojas em 2001. Muito antes disso, os fãs já trocavam entre si cópias piratas do áudio desse show. Esse foi um dos estímulos para a EMI Music compilar as versões ao vivo de sucessos do sexto disco e de outros trabalhos da Legião Urbana. Mas a possibilidade só passou a existir quando os registros originais foram localizados nos desorganizados arquivos da gravadora por Marcelo Fróes, jornalista e pesquisador nomeado em 1999 por Seu Renato, o responsável por fazer a ponte artística entre a família Manfredini e os demais integrantes da banda e executivos da multinacional.

A advogada Silvia Gandelman, especialista em direitos autorais, já tinha assumido a defesa da família e da empresa fundada por Renato, a Legião Urbana Produções Artísticas. E indicou Marcelo Fróes a Seu Renato por conhecer o trabalho de pesquisa que o jornalista vinha fazendo para outros artistas e sua atuação como editor do jornal *International*

Magazine. Com a equipe montada no Rio de Janeiro, o pai de Renato Russo e sua esposa, Carmen, ficariam mais tranquilos para negociar qualquer novo projeto sem precisar sair tantas vezes de Brasília, onde moravam. E Fróes ganhou o aval para investigar o que sobrou do legado do vocalista. "Seu Renato se interessou em fazer um levantamento das coisas que o filho havia deixado. Comecei então pelo arquivo pessoal de Renato Russo. Passados uns meses do início desse meu trabalho, encontrei na gravadora registros inéditos solo e com a banda. A família Manfredini propôs que eu continuasse apurando e Dado e Bonfá também me deram permissão", conta ele.

Para que o jornalista conseguisse compilar tudo o que encontrava, foi montado um estúdio de 24 canais. Ao fim da pesquisa na EMI Music, Marcelo tinha reunido 83 CD-Rs com mixagens de todo tipo, gravações inéditas, shows ao vivo etc. Faltavam somente os "restos" dos outros integrantes. "Em 2002, Dado, Bonfá e Rafael me entregaram fitas que eles guardavam em suas casas para eu organizar e digitalizar. No final, tínhamos mais de cem CDs", conta o pesquisador. No meio disso tudo (e encontrados antes do fim do levantamento), havia nada menos que 27 áudios registrados durante a passagem da Legião Urbana pelo Metropolitan.

Diretor artístico da EMI Music, Torcuato Mariano quis lançar a raridade, e Dado, Bonfá e Rafael Borges correram para preparar o tratamento final das faixas. Avisaram do lançamento aos músicos convidados, Fred Nascimento (violão e guitarra), Carlos Trilha (teclados) e Gian Fabra (baixo), este último incorporado à banda após a saída de Bruno Araújo. No meio do processo, chegou a notícia de que o vocalista dos Paralamas do Sucesso, Herbert Vianna, estava em coma devido a um acidente que matou sua esposa, Lucy Needham Vianna. Abalados, todos trabalharam com mais dificuldade, mas dedicaram o álbum à amiga falecida com um *In memoriam*.

Divididos em duas bolachinhas prateadas, os sucessos da carreira e alguns pot-pourris – entre eles o "Que País é Este/Cajuína/Pintinho Amarelinho/Aquele Abraço/Metal Contra as Nuvens" (sendo as do meio de Caetano Veloso, João Pinta/Juca Ramos e Gilberto Gil) e "Perfeição/O Bêbado e a Equilibrista/Lithium/Metal Contra as Nuvens" (as do meio, composições de Aldir Blanc/João Bosco e Kurt Cobain/Krist Novoselic/David Grohl) – transmitem a energia que o público conferiu ao vivo. Reginaldo, o fã que virou funcionário, teve nesse palco seu maior reconhecimento: "O Renato me chamou no palco no meio do show porque tinha um microfone num pedestal com problema. Aí ele falou: 'Quem vai me ajudar?' Quando eu entrei, ele disse para a plateia: 'Ah, é o Reginaldo!' Saí, deu problema de novo e ele falou: 'Vamos chamar todo mundo? Reginaldo, Reginaldo!'" Esse acabou sendo o primeiro trabalho a traduzir o que era visto nos shows da Legião Urbana.

REPERTÓRIO DISCO 1

faixa	título	composição	duração
1	"Será"	Dado Villa-Lobos, Renato Russo, Marcelo Bonfá	02:47
2	"Eu Sei"	Renato Russo	03:25
3	"La Nuova Gioventú"	Dado Villa-Lobos, Renato Russo	03:12
4	"Ainda É Cedo/Gimme Shelter"	Ico Ouro Preto, Dado Villa-Lobos, Renato Russo, Marcelo Bonfá/Mick Jagger, Keith Richards	06:35
5	"Daniel na Cova dos Leões"	Renato Russo, Renato Rocha	03:53
6	"Vinte e Nove"	Renato Russo	02:03
7	"Um Dia Perfeito"	Renato Russo, Dado Villa-Lobos	03:02
8	"Os Anjos"	Dado Villa-Lobos, Renato Russo	02:30
9	"1965 (Duas Tribos)"	Dado Villa-Lobos, Renato Russo, Marcelo Bonfá	04:05
10	"Monte Castelo"	Renato Russo (adapt. de trechos da Primeira Epístola de São Paulo aos Coríntios e de soneto de Luís de Camões)	04:09
11	"Quando o Sol Bater na Janela do Teu Quarto"	Dado Villa-Lobos, Renato Russo, Marcelo Bonfá	04:17
12	"Geração Coca-Cola"	Renato Russo	02:35
13	"O Teatro dos Vampiros"	Dado Villa-Lobos, Renato Russo, Marcelo Bonfá	03:35
14	"Meninos e Meninas/O Mundo Anda Tão Complicado"	Dado Villa-Lobos, Renato Russo, Marcelo Bonfá/Dado Villa-Lobos, Renato Russo, Marcelo Bonfá (citação)	04:02

REPERTÓRIO DISCO 2

faixa	título	composição	duração
1	"Faroeste Caboclo"	Renato Russo	10:26
2	"Pais e Filhos"	Dado Villa-Lobos, Renato Russo, Marcelo Bonfá	04:41
3	"Tempo Perdido"	Renato Russo	04:10
4	"Giz"	Dado Villa-Lobos, Renato Russo, Marcelo Bonfá	03:46
5	"O Descobrimento do Brasil"	Renato Russo, Marcelo Bonfá	03:56
6	"Eduardo e Mônica"	Renato Russo	05:25
7	"Vento no Litoral"	Dado Villa-Lobos, Renato Russo, Marcelo Bonfá	05:59
8	"Há Tempos"	Dado Villa-Lobos, Renato Russo, Marcelo Bonfá	03:00
9	"'Índios'"	Renato Russo	04:54
10	"Perfeição/O Bêbado e o Equilibrista/Lithium/Metal Contra as Nuvens"	Dado Villa-Lobos, Renato Russo, Marcelo Bonfá/ João Bosco, Aldir Blanc/ Kurt Cobain, Krist Novoselic, David Grohl/ Renato Russo, Dado Villa--Lobos, Marcelo Bonfá	06:59
11	"Andrea Doria"	Renato Russo, Marcelo Bonfá, Dado Villa-Lobos	03:04
12	"Vamos Fazer um Filme"	Renato Russo	04:17
13	"Que País É Este/Cajuína/Pintinho Amarelinho/Aquele Abraço"	Renato Russo/Caetano Veloso/João Plinta, Juca Ramos/Gilberto Gil	05:34
14	"Metal Contra as Nuvens" (faixa escondida)	Dado Villa-Lobos, Renato Russo, Marcelo Bonfá	09:58

AS QUATRO ESTAÇÕES AO VIVO

2004

A turnê de *As Quatro Estações* foi a maior da história da Legião Urbana, com mais de vinte apresentações, muitos seguidores espalhados pelas plateias de diversas cidades brasileiras e boa recepção da crítica. Alguns desses shows, mais especificamente os de São Paulo (no Palestra Itália) e Belo Horizonte (no Mineirinho), ambos em agosto de 1990, tiveram seu áudio registrado direto da mesa de som, em 24 canais, uma tecnologia nova e incomum para a época, que garantiu a qualidade do disco. Recuperadas pela pesquisa de Marcelo Fróes, catorze anos depois essas gravações se transformaram no terceiro disco ao vivo da Legião Urbana, o CD duplo *As Quatro Estações Ao Vivo*. Foi em 2004 que Jorge Davidson, de volta ao cargo de diretor artístico da EMI Music após a saída de Torcuato Mariano, animou-se com a ideia de conceber mais um projeto de seus pupilos, mesmo com o mais carente deles já não estando presente para ajudar nas tomadas de decisão. De novo, Dado Villa-Lobos, Marcelo Bonfá e Rafael Borges voltaram à labuta.

"Uau... Quanta gente!" foi a primeira exclamação proferida por Renato Russo ao chegar no palco do Palestra Itália, o estádio do Palmeiras, e ver cerca de 60 mil pessoas ávidas pelos sucessos de sua banda. Essa frase foi excluída do disco, assim como as piadas feitas pelo vocalista sobre Fernando Collor de Mello, presidente do Brasil de 5 de março de 1990 a 29 de dezembro de 1992, e Zélia Cardoso de Mello, ministra da Economia, Fazenda e Planejamento do país entre março de 1990 e maio de 1991. O vocalista estava mais politizado do que nunca. E mais crítico também, colocando para fora todas as suas angústias em relação ao mundo.

Durante "O Reggae", Renato insinuou que Collor tinha envolvimento com drogas e foi claro ao dizer que Zélia era virgem. A frase que ficou no álbum, na parte final da canção, relacionava sutilmente a ditadura militar ao governo de então: "Oitenta e cinco por cento dos jovens brasileiros entre 15 e 19 anos não estão indo para a escola. Eu acho isso uma tristeza, porque eles acabam indo parar nas Forças Armadas. Os anos 1990 ainda não começaram. Vai começar ano que vem, gente. Agora... Não é legal a gente deixar que eles tomem conta das nossas vidas. Quem tem que tomar conta da vida da gente somos nós."

Lá pelo meio do disco, depois de "1965 (Duas Tribos)", Renato volta a espezinhar o presidente eleito: "Não adianta, eu não estou conseguindo me concentrar. Eu estava pensando em todos esses outdoors babacas que estão começando a aparecer por aí. (...) Fica difícil eu cantar que o Brasil é o país do futuro. (...) Quem é que votou aqui para presidente? Quem é que ficou satisfeito com o resultado?" O vocalista volta a cantar o refrão, acompanhado só de guitarra e do pandeiro de Bonfá, e termina dizendo, antes de retomar a canção no maior estilo punk rock: "Um dia a gente vai ter a nossa vez. Talvez não seja agora, não. Eles gastam mais dinheiro com propaganda do que comprando comida para quem precisa."

O primeiro CD começa com Renato, antes de entoar "Fábrica", levando seu público a pensar sobre a Guerra do Golfo, que tinha acabado de eclodir: "Nenhuma guerra pode ser santa." Lá pelo meio do disco, o vocalista retruca uma declaração dada por Paulinho Moska na véspera do show da Legião em São Paulo: o integrante da banda carioca Inimigos do Rei disse que "Uma Barata Chamada Kafka" era tão boa quanto "Pais e Filhos". "A gente vai tocar uma música que foi feita no banheiro.

Porque é no banheiro que a gente coloca duas das funções vitais do ser humano. Eu não me envergonho de cagar, eu não me envergonho de mijar, porque eu não me incomodo de comer, não tenho problema em dormir e também não tenho medo de sonhar. Eu não tenho vergonha do que eu faço no banheiro, minha gente. Ok? E essa música é dedicada a todas as pessoas que acham que barata é mais importante do que a pessoa que a gente ama", declarou o cantor, defendendo a composição assinada por ele, Dado e Bonfá. A última faixa desse disco, "Se Fiquei Esperando Meu Amor Passar", foi a única gravada em Belo Horizonte.

O segundo volume de *As Quatro Estações Ao Vivo* começa com "Ainda É Cedo" e Renato Russo dando uma de Tim Maia, famoso por cobrar (e muito) ajustes a sua equipe técnica durante as apresentações, no meio da música: "Agora vocês vão ver como funciona uma passagem de som. Quinderé, pode acender as luzes. Eu estou aqui, mas não estou ouvindo a guitarra. Então, vou pedir a nosso técnico para aumentar a guitarra. O baixo está alto demais, então a gente vai pedir para abaixar o baixo aqui no palco. A guitarra aumentou demais, pode abaixar. Agora, Fred, os violões. Acorde! Isso... Ah..."

Maneco Quinderé foi o responsável pela iluminação e Fred Nascimento, violonista e guitarrista convidado junto ao baixista Bruno Araújo e ao tecladista Mú Carvalho. Antes de a canção chegar ao fim e antes de emendá-la a "Gimme Shelter" – composição de Mick Jagger e Keith Richards – e diversos outros sucessos estrangeiros, o vocalista fez sua mea-culpa: "Vocês querem saber por que essa história acabou? Porque eu gosto muito de dar ordem. Se as coisas não estão do jeito que eu quero, eu mando aumentar guitarra, mando abaixar guitarra. Mas isso você não pode fazer, principalmente no amor. Eu nem sei direito o que é o amor. Você não pode ter uma relação de força, de poder. Eu já sofri muito na vida por causa disso. Tanta gente já foi embora da minha vida por causa disso. Porque eu sou mandão, sabe qual é? Com a melhor das intenções!"

A banda se despede da plateia ao final de "'Índios'", mas volta ao palco para apresentar "Faroeste Caboclo" no bis. A curiosidade fica por conta dos mais de dez minutos de silêncio que o disco mantém entre uma faixa e outra.

O lançamento do álbum foi meio estressante para todas as partes envolvidas. Ao avisar a Marcelo Fróes que a gravadora decidiu resgatar esse trabalho, Jorge Davidson já tinha iniciado a recuperação dos áudios e já estava rolando a regravação dos instrumentos em estúdio. O corte das frases também incomodou a família Manfredini. "Ficou um disco ao vivo pouco documental, que não mostra justamente o que Renato tinha de mais peculiar no palco: a interação com a plateia", comenta o jornalista. Em meio a conversas que não chegavam a um acordo, o pai de Renato Russo, Renato Manfredini, veio a falecer. "Foi horrível ver gente da EMI no enterro tentando pegar assinatura de algum familiar do Renato", lembra Fróes. Mesmo sem a autorização da família e por sua conta e risco, a gravadora lançou o disco.

REPERTÓRIO DISCO 1

faixa	título	composição	duração
1	"Fábrica"	Renato Russo	04:30
2	"Daniel na Cova Dos Leões"	Renato Russo, Renato Rocha	03:20
3	"O Reggae"	Renato Russo, Marcelo Bonfá	05:01
4	"Há Tempos"	Dado Villa-Lobos, Renato Russo, Marcelo Bonfá	03:00
5	"Meninos e Meninas"	Dado Villa-Lobos, Renato Russo, Marcelo Bonfá	04:38
6	"Pais e Filhos/Stand by Me"	Dado Villa-Lobos, Renato Russo, Marcelo Bonfá/ Mike Stoller, Jerry Leiber, Ben King	06:58
7	"Maurício/She Loves You"	Dado Villa-Lobos, Renato Russo, Marcelo Bonfá/ John Lennon, Paul McCartney	03:58
8	"Feedback Song for a Dying Friend"	Dado Villa-Lobos, Renato Russo, Marcelo Bonfá	04:05
9	"1965 (Duas Tribos)"	Dado Villa-Lobos, Renato Russo, Marcelo Bonfá	05:35
10	"Monte Castelo"	Renato Russo	04:28
11	"Se Fiquei Esperando Meu Amor Passar"	Dado Villa-Lobos, Renato Russo, Marcelo Bonfá	04:37

REPERTÓRIO DISCO 2

faixa	título	composição	duração
1	"Ainda É Cedo/ Gimme Shelter/ Pretty Vacant/ Satisfaction/Jumping Jack Flash/Rock Around the Clock/ Blue Suede Shoes"	Dado Villa-Lobos, Ico Ouro Preto, Russo, Bonfá/ Keith Richards, Mick Jagger/Glen Matlock, Johnny Rotten, Paul Cook, Steve Jones/Keith Richards, Mick Jagger/ Keith Richards, Mick Jagger/Jimmy De Knight, Max C. Freedman/Carl Lee Perkings	09:45
2	"Geração Coca-Cola"	Renato Russo	04:41
3	"Eu Sei"	Renato Russo	03:31
4	"Angra dos Reis"	Renato Russo, Renato Rocha, Marcelo Bonfá	04:53
5	"Tempo Perdido"	Renato Russo	03:56
6	"Soldados/Help/Ball and Chain"	Renato Russo, Marcelo Bonfá/John Lennon, Paul McCartney/Willie Mae Thornton	09:26
7	"Quase sem Querer"	Dado Villa-Lobos, Renato Russo, Renato Rocha	04:05
8	"Será"	Dado Villa-Lobos, Renato Russo, Marcelo Bonfá	04:24
9	"'Índios'/Faroeste Caboclo"	Renato Russo/ Renato Russo	28:27

LEGIÃO URBANA E PARALAMAS JUNTOS

2004

Em 1988, quando o rock brasileiro já estava totalmente consolidado e era o ritmo mais requisitado em todas as festas, casas de shows e rádios do país, Carlos Alberto Sion se deu conta de que a TV Globo não tinha ainda dado um espaço digno para as bandas que o representavam. Com vasta experiência em produção de shows e discos de artistas brasileiros, o produtor artístico da emissora deu a ideia ao diretor de núcleo Roberto Talma – que o contratou para ser seu braço direito nas atrações musicais – de preencher os espaços livres na grade de programação com shows de rock. De cara, ele sugeriu juntar Barão Vermelho com Titãs e Legião Urbana com Os Paralamas do Sucesso, fazendo uma divisão por gravadoras: as duas primeiras bandas eram do elenco da Warner Music, e as outras, da EMI Music.

"Talma falou que não conseguiria orçamento, mas conversando chegamos à conclusão de que poderíamos fazer algo simples e agregar interesses: para a gravadora, seria interessante a exposição de seus artistas; para nós, seria uma experiência dar espaço para o rock", lembra Carlos Alberto Sion.

Quando Legião e Paralamas subiram ao palco, no dia 3 de setembro de 1988, havia uma mesa de 24 canais captando o áudio. Mas, nessa época, transmissões musicais ainda não tinham o padrão Globo de qualidade. Então, ficou acordado que, para garantir a qualidade do som, a mixagem do material seria realizada nos estúdios da Som Livre, gravadora fundada em 1969 com a finalidade de desenvolver e comercializar trilhas sonoras de novelas produzidas pela TV. O resultado final ficou tão original e raro que, em 2009, a EMI Music resolveu lançar o produto em CD e DVD com novo tratamento, na verdade a partir de uma restauração do áudio feita pela engenheira de som Florencia Saraiva, que também foi responsável pela masterização, e a restauração de vídeo realizada por Anita Nadai e José Mercindo. O DVD traz, entre as músicas, depoimentos do humorista Bussunda, dos atores Tony Ramos, Cláudia Abreu e Stepan Nercessian, do autor de novelas Carlos Lombardi e do político Fernando Gabeira, além de falas de Herbert Vianna e Renato Russo. E foram exaltados nos créditos, além de Sion e Talma, Jodele Larcher, diretor, e Tom Leão, que dividiu o roteiro com Jodele, entre outros.

Assim lembra Jodele Larcher, responsável também pelo vídeo de divulgação de "Há Tempos": "Eu dirigia os clipes exibidos no *Fantástico* e, quando surgiu essa ideia de juntar a Legião Urbana aos Paralamas, já havia feito com a banda 'Que País é Este' e 'Angra dos Reis'. Fiz também o 'Eu Sei' ao vivo em Belo Horizonte, para o *Fantástico* desmistificar que o rock brasileiro era violento, depois do fatídico show de Brasília. Com esse especial, a gente inaugurou um jeito novo de gravar no Teatro Fênix. Eram duas máquinas de 24 canais e câmeras com fitas de duas polegadas nas quais só conseguíamos gravar três musicas. Fizemos diversas paradas durante o show."

Para as bandas, não havia problema. Quanto mais tempo passavam juntos, mais tempo os músicos tinham para celebrar o encontro. Afinal, não era à toa que eles estavam ali. A amizade vinha desde antes dos Paralamas do Sucesso levarem "Química" para a gravação de seu primeiro disco pela EMI-Odeon e acabarem fazendo a ponte entre a Legião Urbana e Jorge Davidson. "Quando os Paralamas gravaram o primeiro disco, a gente pensou: 'Não é possível! É possível realmente?

A gente pode gravar um disco? Pode chegar tipo assim a ser uma banda de rock'n'roll e viver disso?'", diz Renato Russo, em vídeo, no intervalo do show.

O baixista Bi Ribeiro foi o primeiro Paralama a se relacionar com Renato. Ele conta: "Quando minha mãe se separou do meu pai, vim morar no Rio de Janeiro com ela. Meu irmão, Pedro, ficou com meu pai em Brasília. Renato era professor de inglês dele no cursinho. Quando cheguei aqui, vi que meus amigos estavam lá, passei a aproveitar todas as greves da universidade para voltar. Eu e Herbert já ensaiávamos, só que o Rio não tinha espaço para bandas novas. Em Brasília, a gente pegava a tomada da lanchonete e tocava na calçada mesmo. Ficamos todos muito próximos nessas idas e vindas e eu sempre recebia quem vinha de lá na casa da minha mãe. Um dia Pedro me deu a fita K-7 com as músicas de Renato e decidimos gravar 'Química'. Jorge Davidson, diretor artístico que tinha contratado a gente na EMI, acabou tendo acesso à Legião Urbana por nossa causa."

A história dos Paralamas do Sucesso com Carlos Alberto Sion começou quando o produtor levou a banda para o Montreux Jazz Festival de 1987, na Suíça. Eles também trabalharam juntos numa produção nova-iorquina. Já com a Legião Urbana, seria a primeira experiência de Sion. Para não perder o costume, Renato Russo titubeou poucos dias antes da realização do encontro: "Rolou um estresse porque Renato dizia que não se sentia bem. Ela dizia que estava com uma sensação de gripe. Falei para ele procurar um otorrinolaringologista que também era foniatra chamado Pedro Bloch. Mas acho que a palavra mágica foi João Gilberto, pois eu disse a ele que era o médico que cuidava do mestre da bossa nova. Renato ficou empolgado, foi até lá e voltou animado para cantar. No dia do show, ele usou um cachecol para se resguardar."

O show foi animado, com as bandas levando seus maiores sucessos, cada uma tocando de uma vez, alternando-se. Na época, a Legião ainda contava com o baixista Renato Rocha em sua formação. Houve pouco ensaio e o combinado era que haveria dois encontros. Em certo momento, Herbert e Renato ficaram sozinhos no palco para um dueto. Um apresentou o outro ("Esse é Renato Russo", "Esse é Herbert Vianna") e, com o vocalista dos Paralamas na guitarra, o da Legião soltou a voz em "Nada por Mim", parceria de Herbert e Paula Toller gravada pelo Kid Abelha no disco *Ao Vivo*, de 1986. Depois, todos se uniram para apresentar "Ainda É Cedo": a composição de Dado Villa-Lobos, Renato Russo, Marcelo Bonfá e Ico Ouro-Preto ganhou um ar mais rock'n'roll ainda ao ser emendada a "Jumping Jack Flash", hit dos Rolling Stones. "Os Paralamas nunca tocaram 'Nada por Mim', mas 'Ainda É Cedo' era parte do nosso repertório de show", comenta Bi.

Entre os depoimentos, estão os de Herbert e Renato falando o que pensavam sobre o amor. "A coisa das estruturas que a gente herdou e que não servem mais para a gente, e que a gente ainda não tem outra coisa para substituir elas. A coisa possessiva, essas coisas que estão tão enraizadas com a gente... Será que um casal é mesmo a forma melhor de relacionamento? Enfim, tem um monte de questões", declarou Herbert.

Enquanto o vocalista dos Paralamas do Sucesso se mostrava já quase totalmente aberto a toda forma de amor, o da Legião tentava defender a igualdade entre as partes nos relacionamentos. "Eu acho que o poder é uma coisa que está bem presente na relação a dois, sabe? Acho que justamente o que faz a relação a dois ser a mais perfeita possível é quando esse jogo do poder inexiste, quando de repente a troca é completa. A maior parte das vezes o que acontece é um puxando para um lado, o outro puxando para o outro, e isso gera atrito. Em algumas das canções a gente fala justamente sobre isso", ponderou Renato.

Símbolo da militância contra a ditadura no Brasil, Fernando Gabeira tinha sido derrotado, em 1986, nas eleições para o governo do estado do Rio de Janeiro pelo Partido dos Trabalhadores (PT). Naquele 1988, um ano antes de concorrer à presidência da República pelo Partido Verde, o político sintetizou no depoimento gravado para o programa de TV o que essas duas bandas representavam para ele: "Paralamas para mim é uma banda com muita sensibilidade para o que está acontecendo fora do Brasil e para o que está acontecendo dentro do Brasil. É uma banda com raízes, com antenas e, sobretudo, com muita musicalidade. Eu admiro muito o que eles têm de profissional, de pesquisa, de trabalho no campo do som mesmo. Já a Legião é diferente para mim. Legião é expansão, é indignação, é vontade de dizer que desse jeito não está certo, que não pode continuar, com uma profunda identificação com as pessoas mais jovens do Brasil. Eles vão assistir aos shows e saem de lá animados. Eles sentem que existe gente que acha, como eles, que as coisas não estão muito bem. Meu grande sonho é um dia ver essa coisa um pouco mais combinada nos dois: a musicalidade e a pesquisa técnica dos Paralamas e a indignação da Legião. Eu acho que seria uma coisa sensacional."

REPERTÓRIO DO CD[4]

faixa	título	composição	duração
1	"Será"	Dado Villa-Lobos, Renato Russo, Marcelo Bonfá	02:33
2	"Meu Erro"	Herbert Vianna	03:27
3	"Tédio (Com um T Bem Grande pra Você)"	Renato Russo	02:32
4	"Depois que o Ilê Passar"	Milton Souza de Jesus	00:52
5	"Tempo Perdido"	Renato Russo	03:57
6	"Alagados"	Bi Ribeiro, João Barone, Herbert Vianna	06:27
7	"O Beco"	Bi Ribeiro, Herbert Vianna	02:50
8	"Que País É Este"	Renato Russo	03:10
9	"Nada por Mim"	Herbert Vianna	02:17
10	"Dois Elefantes"	Herbert Vianna	04:22
11	"Eu Sei"	Renato Russo	03:10
12	"Ainda É Cedo/ Jumpin' Jack Flash"	Dado Villa-Lobos, Renato Russo, Marcelo Bonfá, Ico Ouro Preto/ Keith Richards, Mick Jagger	03:45

[4] O DVD traz como faixa de abertura o pot-pourri "Purple Haze" (Jimi Hendrix)/ "Ska" (Herbert Vianna)/"Get Back" (Lennon & McCartney).

DISCOS

SOLO

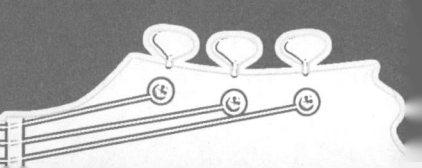

OS CAMINHOS DE CADA UM

O início da movimentação em direção aos projetos individuais se deu em 1993, quando Dado Villa-Lobos fundou junto a André Mueller (baixista da Plebe Rude) a RockIt!, uma gravadora independente considerada uma das pioneiras em revelar novos nomes da música brasileira. O selo teve como um de seus lançamentos o primeiro álbum solo de Dinho Ouro Preto – e o segundo projeto após sua saída do Capital Inicial, tendo sido a banda Vertigo o anterior –, em 1995. O cantor incluiu pela primeira vez num álbum "Marcianos Invadem a Terra", canção de Renato Russo da fase Trovador Solitário que só veio a ser registrada pela Legião Urbana no póstumo *Uma Outra Estação*. Ás do desenho, Marcelo Bonfá começou nessa mesma época a produzir trabalhos de computação gráfica dos quais pouco gostava de falar. Também em 1993, Renato Russo começava a planejar sua estreia solitária em disco. Primeiro, em *The Stonewall Celebration Concert*, Renato resgatou sua faceta de trovador, só que interpretando uma seleção de autores de língua inglesa e militando pelos direitos dos homossexuais: Stonewall é o nome de um bar em Nova York onde, no fim da década de 1960, gays confrontaram a polícia preconceituosa. Depois, em *Equilíbrio Distante*, ele resgatou suas raízes, ou melhor, as de sua família italiana, reunindo num álbum uma seleção de canções da Itália.

THE STONEWALL CELEBRATION CONCERT

1994

R enato já vinha ensaiando falar na imprensa sobre sua sexualidade, mas o assunto ainda não era tão confortável. "Eu não acredito que uma pessoa tenha definição de sua vida sexual até os 25 anos. A pessoa não está formada. Para mim, isso é uma coisa absolutamente normal. De uma vez por todas: o que existe é sexo. Fui educado para ser honesto e sincero. Chegou um momento em que decidi não escrever mais essas músicas, recebendo cartas de fãs e enganando meu público. Se eu sou de uma determinada maneira, me aceito como sou. Se não gosta, problema é seu", declarou ele, em junho de 1994, à *Folha de S.Paulo*. E, em 1994, Renato lançou *The Stonewall Celebration Concert*, disco com 21 músicas em inglês dedicado à campanha "Ação da Cidadania contra a Miséria e pela Vida", de Herbert de Souza, o Betinho. Parte da renda foi revertida para a luta do sociólogo, soropositivo como ele, e morto em 1997.

Para "vender" seu projeto a João Augusto, Renato Russo usou uma de suas artimanhas: ligou para o então diretor artístico da EMI-Odeon, que estava em viagem pelos Estados Unidos, e pediu que ele comprasse um disco de um artista europeu. Tratava-se de Nick Drake, cantor e compositor britânico, que mais tarde acabou conquistando Rafael Ramos, filho de João. Ao retornar ao Brasil e tentar entregar a encomenda ao vocalista da Legião Urbana, João descobriu que o presente era para si próprio. "Ele falou que eu precisava comprar esse disco. Eu trouxe a encomenda e ele falou: 'É para você! Eu queria muito que ouvisse porque esse disco ensina isso, isso, isso...' E começou a me dar uma aula sobre aquele trabalho. Logo depois ele veio com a história do *Stonewall* já toda formatada na cabeça", lembra João Augusto.

Naquele tempo, como não existia crise financeira, as gravadoras apostavam em projetos arriscados. Não havia garantia de que aquele tipo de música teria espaço nas rádios e de que o álbum teria boa saída nas lojas. Mesmo assim, João Augusto foi taxativo: "Faça o que quiser!" E deu todas as condições de que Renato precisava para produzir. "Ele se autoproduziu, chamou o Carlos Trilha para cuidar dos arranjos, escolheu o repertório, foi para o estúdio... Eu apenas coordenei", conta João.

O que João Augusto não sabia àquela altura era que o projeto já tinha mudado de configuração. Em primeiro lugar, Renato Russo planejou um show de piano e voz que teria sua renda revertida para a campanha de Betinho. E convidou Carlos Trilha não só para acompanhá-lo, mas também para dar arranjos novos às canções selecionadas. Do recital na sala do ator Marco Nanini, Renato acabou indo para a gravação no estúdio. A mudança valeu a pena. Além de os fãs terem a oportunidade de comprar uma relíquia, Betinho levou uma boa quantia para sua campanha, segundo o tecladista: "O disco rapidamente vendeu 100 mil cópias e logo chegou a 250 mil!"

"Renato me chamou na casa dele para conversar, mostrou algumas músicas completamente fora do meu universo, me deu uma fita K-7 supercaprichadinha e falou assim: 'Ó, o Betinho queria que eu fizesse uma doação para a campanha. Aí eu achei melhor fazer um show num lugar íntimo e chamar poucas pessoas que possam dar um bom dinheiro.' Lembro que ele sugeriu cobrar tipo cinco mil dólares pela presença. Seria uma coisa chique e ele pensava na casa do Marco Nanini, o ator. Saí de lá com a incumbência de aprender aquelas canções no tom original delas. Uma semana depois, levei três ou quatro músicas já com as programações feitas. Montei o teclado na sala dele e dei o *play*. Lá do banheiro, Renato, que estava lavando as mãos, falou: 'Vamos fazer um disco em vez do show? Você topa?' Claro que topei", lembra Trilha.

Foi tudo muito rápido. Os ensaios para a preparação do repertório levaram três meses e a gravação e a mixagem, menos de dois. Novato no mercado, mas já com a confiança de Renato, Fábio Henriques foi o engenheiro de som escolhido para gravar, mixar e masterizar o primeiro álbum solo do vocalista da Legião Urbana. Atuando no estúdio Discover desde julho de 1993, Fábio havia comandado a mesa durante o registro de uma demo que Renato enviou de presente para a mamãe Cássia Eller: a cantora tinha acabado de dar à luz seu primeiro filho, Chicão, fruto de um relacionamento com o falecido amigo de Renato (e parceiro de palco em shows da Legião Urbana) Tavinho Fialho.

"A música se chamava '1º de Julho'. Renato gostou tanto da demo que, quando foi produzir o *Stonewall*, pediu para trabalhar comigo. Anos depois, quando ele quis incluir essa faixa que fez para o filho da Cássia no álbum *A Tempestade*, pediu para encaminhar aquela demo mesmo para a masterização", conta Fábio Henriques.

Todos os discos eram gravados em fita magnética até 1992, quando se iniciou a era das experimentações digitais, mas com o material ainda sendo transposto para fitas. *The Stonewall Celebration Concert* foi um marco na história da música brasileira pelo ineditismo da gravação, toda feita em computador. "O Discover foi o primeiro estúdio comercial do Brasil com capacidade para gravar projetos inteiros dentro do computador, desde que não houvesse muitos canais. O *Stonewall*, por ter arranjos simples, com menos instrumentos, permitiu que nos arriscássemos. E nós conseguimos", diz Fábio.

Tecnicamente, o desafio estava em registrar com qualidade a dinâmica com a qual Renato Russo cantava dentro do estúdio, conta o engenheiro: "Ele ia do sussurro ao grito na mesma música, e a gente tinha que tomar muito cuidado para registrar isso bem. E ele se entregava de tal maneira a cada canção que só conseguia cantar no máximo três vezes... Normalmente, eram só duas. Se a gente não captasse bem, só no outro dia. Esse vigor nas performances tornava tudo muito mais emocionante de se ouvir. Ter presenciado Renato cantando no estúdio foi um enorme privilégio."

O disco era basicamente piano e voz. Fugiam à regra canções como "Let's Face the Music and Dance", em que Renato Russo canta por cima de uma gravação de instrumentos original dos anos 1930, e "Send in the Clouds", que traz uma sonoplastia no final. Ambos os efeitos ficaram por conta de Fábio Henriques. Nick Drake apareceu no repertório com "Clothes of Sand", Bob Dylan com "If You See Him, Say Hello" e Madonna com "Cherish", sucesso de autoria da cantora em parceria com Patrick Leonard. Um dos pontos altos do álbum é "Cathedral Song", uma canção da alemã radicada na Inglaterra Tanita Tikaram que Renato achou que só ele conhecia. Porém, no mesmo ano do lançamento de *Stonewall*, a novata Zélia Duncan chegava ao mercado da MPB com uma versão em português composta em parceria com Christiaan Oyens.

A ideia era tudo ser tão simples e diferente das produções da Legião Urbana que nem mesmo a capa de *The Stonewall Celebration Concert* deu trabalho. Para a parte de trás do encarte, Renato escolheu uma foto de 1969, quando era pequeno e posou junto à irmã, Carminha Manfredini, no Central Park, em Nova York. Com o fotógrafo Maurício Valladares à disposição, Renato foi clicado na porta de seu próprio prédio, localizado na rua Nascimento Silva, em Ipanema.

"Não houve nenhuma conversa mais aprofundada sobre conceito. Renato e Maurício decidiram fazer uma homenagem ao disco *Rock'n'Roll* (1975), de John Lennon, e, quando as fotos chegaram, escolhemos a melhor. Por segurança, para manter a privacidade de Renato, eliminamos o número do prédio durante o tratamento final da foto para a capa. E eu cuidei de encaixar no fim do encarte um espaço para a lista de entidades", conta Egeu Laus, diretor de arte que trabalhava na EMI-Odeon na época e foi o responsável pela capa.

De acordo com o encarte, a lista de entidades que reunia centros e movimentos de proteção às crianças e mulheres, à natureza e aos homossexuais e portadores do HIV era "para ajudar ou para pedir ajuda".

Essa história teve final feliz, com Renato Russo satisfeito com a venda rápida de 60 mil cópias do CD, o lançamento do projeto em LP e a constatação de que ele tinha, além da Legião Urbana e do apoio de seus integrantes, uma legião de fãs que o seguiam em qualquer projeto a que se dedicasse. Pelo menos foi esse o sentimento que transbordou numa entrevista ácida – em que ele critica o casamento, a falta de perspectiva do jovem brasileiro e os críticos musicais – dada ao jornalista e pesquisador Marcelo Fróes para uma matéria do jornal *International Magazine*: "Em se tratando de um país onde as pessoas realmente não têm poder aquisitivo, é impressionante como o público, ao escolher seu artista favorito, acompanha o trabalho desse artista, sabe o que está acontecendo e compra. Eu acho que o país tem memória, sim. Eu acho que o que acontece é que as pessoas não têm poder aquisitivo. Cultura hoje em dia é bem de consumo, entende? É por aí."

REPERTÓRIO

faixa	título	composição	duração
1	"Send in the Clowns"	Stephen Sondheim	03:45
2	"Clothes of Sand"	Nick Drake	02:44
3	"Cathedral Song"	Tanita Tikaram	02:57
4	"Love Is"	Kate, Anna e Jane McGarrigle	03:54
5	"Cherish"	Madonna Ciccone, Patrick Leonard	04:35
6	"Miss Celie's Blues"	Quincy Jones, Rod Temperton, Lionel Richie	02:10
7	"The Ballad of the Sad Young Men"	Tommy Wolf, Fran Landesman	03:43
8	"If I Loved You"	Richard Rodgers, Oscar Hammerstein II	01:43
9	"And So It Goes"	Billy Joel	03:08
10	"I Get Along Without You Very Well"	Hoagy Carmichael	02:34
11	"Somewhere in My Broken Heart"	Billy Dean, Richard Leigh	02:43
12	"If You See Him, Say Hello"	Bob Dylan	03:47
13	"If Tomorrow Never Comes"	Kent Blazy, Garth Brooks	05:01
14	"The Heart Of The Matter"	Mike Campbell, Don Henley, J.D. Souther	05:36
15	"Old Friend"	Nancy Ford, Gretchen Cryer	03:23
16	"Say It Isn't So"	Irving Berlin	03:35
17	"Let's Face The Music & Dance"	Irving Berlin	01:33
18	"Somewhere"	Leonard Bernstein	04:40
19	"Paper of Pins"	Música folclórica americana	02:01
20	"When You Wish upon a Star"	Ned Washington, Leigh Harline	03:16
21	"Close the Door Lightly When You Go"	Eric Andersen	02:24

EQUILÍBRIO DISTANTE

1995

A euforia que Renato Russo levou ao estúdio durante as gravações de *The Stonewall Celebration Concert* arrefeceu durante as gravações de *Equilíbrio Distante*. Não que o disco em italiano não fosse uma alegria para ele. Além de uma grande realização pessoal, foi também uma vitória conquistar o sotaque perfeito e alcançar seu público com um repertório totalmente desconhecido no Brasil e muito pouco celebrado na Itália. A questão era a depressão, não domada durante esse novo processo. Renato cancelou diversos encontros no Discover e o preparo do álbum levou nada menos que nove meses, fora a pré-produção, a mixagem e a masterização.

"Foi um período mais longo por causa dos altos e baixos de Renato. E eu me lembro da empolgação dele no dia do show que fizemos com a Legião Urbana no Metropolitan, no Rio, ao chegar no camarim e me dizer: 'Já sei qual vai ser nosso próximo projeto! Vou gravar um disco de músicas bregas italianas!' Ele falou assim e eu pensei: 'Caramba! Ele está maluco, né?' Dei aquele sorriso de puxa-saco e fiquei na expectativa, esperando o que ele ia aprontar", lembra Carlos Trilha.

Mais uma vez, Renato chamou Trilha à sua casa e botou uma fita K-7 para ele ouvir. "Ele cantava tudo junto, superempolgado, pela sala. Ele cantou 'Passerà', que é uma música que me deu o maior trabalho. Eu detestei essa música depois, porque ela tem uma harmonia esquisita... Tipo... O caminho mais curto entre dois pontos não é uma reta, mas oito notas. Os italianos têm essa escola de rebuscar a harmonia e ter modulação. No teclado, para preparar um arranjo, quando tem modulação, muda tudo. Deu o maior trabalho", lembra o tecladista e produtor.

Trilha saiu do apartamento da rua Nascimento Silva com uma lista de canções difíceis, *ma non troppo* (em português, mas não tanto). Era questão de treino. E de intimidade com a geração de artistas italianos da época. Para os nativos com os quais Renato esbarrou durante o período em que aprofundou a busca pelas canções, o repertório selecionado não representava a Itália. Para os brasileiros, *Equilíbrio Distante* foi um mergulho totalmente despretensioso e sem preconceito numa nova cultura. Tanto que nomes nunca antes divulgados no Brasil, como o de Laura Pausini, a intérprete de "Strani Amori" e "La Solitudine", ganharam força depois do lançamento do segundo álbum solo do Trovador Solitário.

"Renato queria fazer um álbum jovem, cantando a música moderna da Itália. E ele já tinha tudo o que queria em sua casa, mas numa reunião na gravadora surgiu a ideia de ele ir à Itália fazer uma pesquisa nas lojas de discos, conversando com as pessoas... Renato estava com um pânico de viajar para o exterior naquele momento. Ele dizia que parecia árabe e que poderiam confundir ele com um terrorista em alguma alfândega. Mas a conversa fluiu de tal modo que surgiu o nome da Gilda Mattoso e ele acabou decidindo que a convidaria para acompanhá-lo", lembra o então diretor artístico da EMI-Odeon João Augusto.

Depois de uma longa jornada como assessora de imprensa das gravadoras Ariola e Polygram, em 1989 Gilda Mattoso abriu seu escritório junto a Marcus Vinicius (Mattoso & Vinicius) e passou a cuidar da relação entre a mídia e grande nomes da música brasileira, tais como Caetano Veloso, Gilberto Gil, Cazuza, Elba Ramalho etc. Muito antes disso, no início da década de 1970, Gilda se mudou de Niterói, no estado do Rio, para Londres e, mais especificamente em 1976, foi para Perugia, na

Itália, estudar a língua local na Universidade Italiana para Estrangeiros. Curso terminado, quatro meses depois a jovem se mudou para Roma, onde começou a trabalhar com o produtor de shows Franco Fontana, um dos primeiros a levar artistas brasileiros para a Europa. De cara ela conheceu Vinicius de Moraes, com que viria a ter um relacionamento amoroso depois de uma outra temporada de trabalho com Franco em Paris. No retorno ao Brasil, arrastada pela paixão pelo poeta, a jovem poliglota iniciou sua trajetória nas gravadoras.

"Não sei por quê, mas Renato me chamava de Tia Irene, ou melhor, de Tirene. Aí, um dia ele me perguntou: 'Tirene, você fala italiano?' Eu respondi: 'Falo, Renato.' E ele: 'Ah, que maravilha! Porque eu estou querendo tirar meu passaporte italiano, mas tenho que ir na Itália porque estão faltando uns documentos dos meus bisavós... Será que você iria comigo? Ou você só viaja com Caetano Veloso?' Eu falei: 'Vou com você com o maior prazer!' Mas ele ficou impossível nessa viagem. Quase peguei um avião de volta e larguei ele lá", lembra Gilda.

Já no aeroporto de Milão, capital da região da Lombardia e principal centro cultural da Itália, a assessora de imprensa ficou trêmula quando o cachorro do policial pulou em cima do cantor. "Tive medo de ele estar portando algo ilegal, mas foi só uma revista aleatória mesmo. Só que, na sala reservada, Renato pedia para eu dizer que ele era um artista famoso no Brasil e eu tinha que explicar a ele que isso não faria a menor diferença ali. Do outro lado o policial perguntava o que tanto Renato falava e eu disfarçava, dizendo que se tratava do compromisso que teríamos dali a alguns minutos", conta Gilda.

Na pequena Sesto ed Uniti, comuna italiana que fica na província de Cremona, a aproximadamente oitenta quilômetros de Milão, Gilda teve que conter a insatisfação de Renato ao saber que seus antepassados, os Manfredini, eram camponeses, e não nobres italianos como ele imaginava. Para isso, a assessora contou a ele que aquela era a terra dos violinos Stradivarius. Pelo menos Renato saiu de lá feliz portando o documento que permitiria que tanto seu pai quanto ele entrassem com o pedido de cidadania italiana.

A terceira saia justa se deu na mesa do jantar que Gilda armou para promover o encontro de Renato Russo com Fiorella Mannoia, uma cantora sofisticada que a assessora conheceu através de Caetano Veloso. Acompanhada do então marido, o músico e produtor Piero Fabrizi, Fiorella tentou entender o que aquele jovem brasileiro afinal queria com ela após ele começar a discursar sobre seu novo projeto. "Renato não tinha me falado a proposta do disco. E, pelo que conhecia do gosto dele, pensei em música erudita, ópera, tudo menos música popular. Quando ele falou em Laura Pausini, foi como sentar na mesa com Caetano e falar que quer gravar músicas de Wanessa Camargo. Mas no fim fomos até a casa de Fiorella e Piero para ouvir canções que eles queriam mostrar e o casal apresentou alguma coisa pop que eles consideravam de qualidade para Renato", rememora Gilda.

De Milão, a dupla foi para Roma e, lá, Renato comprou uma pilha de discos tão grande que Gilda duvidou que ele conseguiria despachar em suas malas: "Ele dizia que eu ia ajudar, eu falava que não podia exagerar por causa da minha coluna e ele falava: 'Se fosse o Caetano Veloso, você carregaria!'" Para trazer parte dessa bagagem, Renato comprou um baú da Branca de Neve que fez Gilda dar umas boas risadas. Mal sabia ela que, gentilmente, ele depois enviaria o mimo de presente para sua filha, Marina, na época com 4 anos. E, então, a missão foi dada como encerrada. Não sem antes Renato fazer "Tirene" passar a última vergonha.

"Fui convidada para um jantar na casa de um amigo do Vinicius de Moraes, o jornalista Gianni Minà, e Renato quis porque quis me acompanhar. Dizia que queria conhecer 'o intelectual'. Marcamos às oito da noite no saguão do hotel e ele atrasou uma hora. Chegamos na casa do italiano e as pessoas já estavam indo para o *secondo piato*. A esposa nova do meu anfitrião teve que colocar outra panela no fogo para nos servir a massa do primeiro prato e eu morri de vergonha. Depois, numa conversa com Minà, o primeiro italiano a entrevistar Fidel Castro, e com um amigo peruano seu, Renato respondeu à pergunta sobre o que achava de Cuba sem filtro: 'Não gosto porque vocês sabem o que fazem lá com gays como eu? Botam no paredão e ó: Tá-tá-tá-tá-tá. Gay lá não tem vez!' Eu quis me enfiar no buraco enquanto os intelectuais diziam: 'Não é bem assim...' No dia seguinte, liguei para o Minà para pedir desculpas, mas ele tinha adorado o Renato. Fiquei aliviada."

Da viagem à Itália, o cantor trouxe canções como "La Vita È Adesso" (Claudio Baglioni) e "I Venti del Cuore" (Massimo Bubola e Piero Fabrizi) para seu projeto. Cidadania garantida, repertório listado, Renato e Carlos Trilha entraram no Discover dispostos a meter a mão na massa. Mas a segurança durou pouco. Primeiro, ele encrencou com Marcos Pessoa, o primeiro baixista que seu produtor trouxe para gravar as bases. Não que o cara não fosse talentoso. "Foi incompatibilidade mesmo. Marcos gravava e Renato metia a mão em cima da mão dele. Eu chegava a sair do estúdio. Foi total falta de experiência minha. Hoje eu encararia a situação de outra forma. Um dia Renato escreveu uma carta para mim dizendo que estávamos com um problema, que era o baixo. Chamei Arthur Maia, que resolveu o que estava mal resolvido", lembra Trilha.

Arthur Maia assina o baixo em algumas canções, e Bruno Araújo, que acompanhou a Legião Urbana, também participou do disco. O próprio Renato se meteu a gravar o instrumento. As guitarras e os violões ficaram por conta também de Renato e de Paulo Lourenço, Ricardo Palmeira e Claudio Jorge, enquanto a bateria foi de Eduardo Constant. Para Carlos Trilha, que tinha que coordenar tudo na presença e na ausência de Renato, era sempre uma tensão: "Ele ficava em dúvida em relação a tudo. Eu nunca sabia qual Renato ia chegar lá: às vezes eu preparava uma coisa achando que ele ia adorar e ele não gostava; quando eu já estava esperando que ele não ia gostar de nada, ele chegava e dizia 'Nossa, tá lindo, tá genial'."

Na hora de colocar as vozes nas canções, começou o novo drama. Frente a frente consigo mesmo, exposto até a alma dentro daquele estúdio gelado, Renato odiou a primeira gravação. "Ele precisou se deparar com suas limitações em relação àquelas melodias, muito diferentes das da Legião Urbana. Ele não cantou bem da primeira vez e saiu de lá dizendo que era o som da gravação. Ele sumiu do estúdio, desmarcou as sessões. Chegamos a acreditar que o problema era o equipamento e marcar hora no estúdio da Som Livre, o que não fazia sentido, porque o microfone e o pré-amplificador eram exatamente os mesmos. Ou seja, o som saiu igualzinho. Serviu para ele ganhar tempo e adquirir conhecimento sobre as músicas", conta Trilha.

Outra questão foi o sotaque. Renato cismou que não fazia sentido cantar em italiano se ele não falava a língua. Mas logo arrumaram um professor para lhe dar aulas e ajustar as palavras às melodias. Na entrevista dada a Marcelo Fróes para o jornal *International Magazine* em 1995, ano do lançamento de *Equilíbrio Distante*, Renato coloca toda essa insegurança para baixo do tapete.

"O estilo de cantar deles era muito parecido com o meu. E eu não sei se é porque é uma coisa italiana, porque eu sou descendente de italiano... Ou sei lá, essa coisa, a conexão. (...) Por uma coincidência, todos os artistas que eu consegui naquela primeira leva e, depois, quando eu comprei mais e me aprofundei mais, todos eles tinham uma temática muito parecida com a temática da Legião Urbana, que é aquela coisa de se falar de ética, canções de amor que têm um fundo social... Sempre aquela coisa do indivíduo confuso com o mundo, tentando resolver as coisas do mundo. (...) As músicas eram muito melodiosas! Elas tinham aquela coisa pop meio Rosana, meio Xuxa, meio Angélica, mas transcendiam de certa maneira. Eu posso até mostrar pra vocês, por exemplo, Laura Pausini. Foi uma das primeiras coisas que eu ouvi", declarou um Renato Russo totalmente seguro de si e de suas escolhas.

Para a capa e o encarte do seu segundo álbum solo, novamente sob direção artística de Egeu Laus, Renato Russo levou desenhos do filho, Giuliano, feitos em papel texturizado. Egeu os reduziu, acertou os tons e os usou na capa. No encarte, o diretor de arte usou letras capitulares que imitam as do século XIX, fotos de ancestrais do músico e imagens retiradas de suas pesquisas. "O que acho que *Equilíbrio Distante* tem de mais emblemático é que foi a primeira vez no Brasil que se usou aquele projeto gráfico da caixa de papel. A parte do papelão onde está impressa a capa é uma sanfona e só havia uma gráfica no Rio com máquina apta a imprimir dessa forma. Foi ideia do Renato fazer tipo um origami para parecer um livro medieval. O miolo saiu com papel vergê. A foto do meio, dele fazendo cabo de guerra com uns rapazes, foi uma brincadeira que ele pediu para fazer", conta Egeu.

Equilíbrio Distante foi todo gravado em computador, mas transferido para a fita magnética pelos engenheiros de som Fábio Henriques e Guilherme Reis. Foi diferente do processo de *The Stonewall Celebration*

Concert, porque os arranjos tinham mais instrumentos e a capacidade de canais ainda era limitada. Durante a masterização, novamente feita pelo mestre Ricardo Garcia, que trabalhou também no álbum em inglês de Renato Russo, o diretor artístico João Augusto ligou meio inseguro para saber o que o profissional estava achando do material. "Ele sempre ligava para saber se estava bom. Nesse dia, eu falei que ele tinha uma mina de ouro na mão. Ele perguntou: 'Sério? Você acha que vai vender?' Eu falei que ia vender como água, porque estava realmente achando as músicas muito bonitas. Eu me encantei com o resultado final", lembra Ricardo. E, sem show nem muita firula na divulgação, realizada novamente pela equipe de Gilda Mattoso, *Equilíbrio Distante* saiu e alcançou rapidamente a marca de mais de 200 mil cópias vendidas, um êxito para um projeto tão alternativo.

REPERTÓRIO

faixa	título	composição	duração
1	"Gente"	Cheope, Marco Marati, Angelo Valsiglio	05:30
2	"Strani Amori"	Roberto Buti, Cheope, Marco Marati, Angelo Valsiglio	04:10
3	"I Venti del Cuore"	Piero Fabrizi, Massimo Bubola	04:40
4	"Scrivimi"	Nino Buonocuore	03:58
5	"Dolcissima Maria"	Mauro Pagani, Flavio Franco Premoli, Franco Mussida	07:58
6	"Lettera"	Cheope, Marco Marati, Giovanni Salvatori, Angelo Valsiglio	03:36
7	"La Solitudine"	Federico Cavalli, Pietro Cremonesi, Angelo Valsiglio	04:10
8	"Passerà"	Falagiani, Bigazzi, Aleandro Baldi	04:47
9	"Come Fa Un'Onda"	Nelson Motta, Lulu Santos; versão: Massimiliano de Tomassi	03:31
10	"La Forza della Vita"	Dati, Paolo Vallesi	05:17
11	"Due"	Cheope, Testa, Raf	05:06
12	"Più o Meno"	Renato Zero	03:23
13	"La Vita È Adesso"	Claudio Baglioni	09:03

O ÚLTIMO SOLO

1997

O Último Solo

As canções incluídas aqui foram originalmente gravadas por Renato Russo para seus álbuns solo The Stonewall Celebration Concert *(1994)* e Equilíbrio Distante *(1995)*. *A existência dessas faixas inéditas é explicada pelo próprio processo de criação de Renato, que sempre se caracterizou, como integrante da Legião Urbana ou como artista solo, por gravar mais obras do que seriam necessárias. A ideia era fazer experimentações ou colecionar esboços para trabalhos futuros (ele costumava se divertir dizendo que todos os seus álbuns começavam triplos, passando depois a duplos para, finalmente, serem lançados no formato simples).*

Como essas canções não tinham seus arranjos finalizados, nenhum esforço foi poupado para que o resultado merecesse a assinatura de Renato Russo.

Durante oito meses, o mesmo produtor, arranjador e tecladista que trabalhou com Renato nos dois álbuns, Carlos Trilha, dedicou-se com total exclusividade a finalizar os arranjos, tendo em mente a direção de Renato, imaginando como ele faria ou usando ideias que ele já adiantara para aquelas canções. Em duas delas ("The Dance" e "Il Mondo Degli Altri"), gravamos uma orquestra com mais de quarenta músicos no lendário Estúdio 1 de Abbey Road, Londres –

tendo sido um dos arranjos, inclusive, concebido originalmente pelo próprio Renato Russo. E, para concluir o trabalho, voltamos ao mesmo Abbey Road para masterizar o álbum com o engenheiro Nick Webb, cujo currículo inclui Paul McCartney, Genesis, Oasis, Pink Floyd e Rolling Stones, entre outros grandes artistas pop do mundo.

Para oferecer um retrato ainda mais completo do artista, inserimos uma seção de multimídia, onde o usuário poderá assistir ao videoclipe da canção "Strani Amori" (do álbum Equilíbrio Distante*), ouvir fragmentos de uma entrevista concedida por ocasião do lançamento daquele CD e acessar informações gerais sobre este trabalho.*

O Último Solo, ao reunir materiais de épocas diferentes, surpreende pela consistência enquanto obra completa e demonstra toda a coerência de Renato Russo enquanto criador. Os milhares de fãs não poderiam ser privados de momentos de tão grande beleza criados por seu ídolo.

O texto assinado por João Augusto, datado de outubro de 1997 e publicado na primeira página do encarte de *O Último Solo*, álbum póstumo lançado um ano após o falecimento de Renato Russo, diz quase tudo sobre esse terceiro trabalho solo do cantor. Sobras de estúdio que formavam um material vasto e de qualidade fizeram com que o diretor artístico da EMI Music sentisse vontade de não desperdiçá-lo. Convite feito ao produtor Carlos Trilha, o processo de recuperação do que existia (vozes-guias que precisavam ser melhoradas) e de produção do que não existia (arranjos, por exemplo) começou seis meses depois da partida de Renato. "A feitura de *O Último Solo* foi bem dramática pra mim", resume hoje Trilha.

Tanto os remanescentes da banda quanto Trilha ainda não haviam se recuperado emocionalmente do baque que foi perder o tutor, professor, amigo, parceiro e grande artista que tinham ao lado. Ao pegar as fitas com esses restos na gravadora, Trilha foi procurar uma música da qual se lembrava bem, "The Dance". Escutando com um fone, acabou desabando: "Fui transportado para aquele ambiente onde havíamos feito a gravação. Senti Renato cantando no meu ouvido. Foi me dando uma tristeza e eu comecei a chorar compulsivamente. Tive que ser amparado. Também chorei algumas vezes no estúdio, o Discover, sozinho na madrugada. Era bem estranho eu estar trabalhando num disco do Renato sem ele estar lá."

E, além da tristeza, o processo se arrastou também porque foi preciso fazer diversos ajustes técnicos para conseguir salvar as vozes de Renato. "The Dance", por acaso, estava pronta. Mas a maior parte das outras músicas precisava de melhorias na voz-guia, aquela que o cantor grava sem treino, técnica ou qualidade, que serve só mesmo para o produtor se guiar na hora do registro dos instrumentos. Esse trabalho de recuperação ficou por conta de Florencia Saraiva, uma jovem de 24 anos que era fã da Legião Urbana e tinha sido absorvida pouco tempo antes como técnica do Discover.

"Meu trabalho foi basicamente fazer tratamento nas vozes. Muitas delas valiam mesmo sendo guias, porque o Renato mandava bem muitas vezes já no primeiro ou no segundo *take* de gravação. Mas algumas tinham vazamento do *click*", diz Florencia, referindo-se ao barulho do metrônomo, um aparelho que mede o tempo e o andamento da música e é usado durante a gravação.

O Último Solo é um marco em termos de produção, pois foi a primeira vez no Brasil que se usou uma ferramenta chamada AutoTune, criada para afinar as vozes numa canção. Dentro do estúdio, dias e noites se passavam e, enquanto Trilha planejava novos arranjos, gravava violões, baixos, baterias e guitarras com Paulo Loureiro, Marcos Pessoa, Arthur Maia, Eduardo Constant e Tom Capone, Florencia cansava o braço na tentativa de deixar todas as vozes de Renato Russo tinindo. Chegou uma hora em que uma das faixas parecia não ter mais solução. Até hoje, a técnica ouve o *click* no 26º segundo de "E Tu Come Stai?". Puro trauma!

"Todos os dias eu chegava no estúdio e abria esse canal de voz para mexer mais um pouquinho. Eu só pensava que o disco, já que era póstumo, tinha que sair decente. Até porque o Trilha vivia dizendo que o Renato não gostaria de lançar um álbum que não estivesse perfeito. No final, a equipe concluiu que tinha dado certo, mas eu ouço aquele barulho até hoje quando escuto essa música", confessa Florencia.

Se o dia a dia já era tenso por causa da ausência de Renato no Discover, o clima esquentou mesmo no dia em que, contatado por Antônio

Carlos Miguel, do jornal *O Globo*, Carlos Trilha deu a ficha completa do novo trabalho para o repórter e crítico de música. Matéria publicada e surpresa estragada, João Augusto ficou enfurecido com o jovem produtor. Do nada, uma equipe da EMI enviada pelo diretor artístico bateu na porta do Discover e levou todas as fitas de lá. Quem estava no estúdio naquele momento era Florencia, que imediatamente avisou Trilha sobre a confusão.

"Eu não faço ideia de como o Antônio Carlos Miguel soube do disco, mas não imaginei que fosse dar tanto problema. Pelo contrário. Fiquei crente que a gravadora ia adorar. O projeto era sigiloso, mas ninguém me falou isso, na época. Eu acho que faltava ainda fechar alguma negociação entre a gravadora e a família de Renato. Mas em duas semanas a história foi resolvida, depois que o falecido Guilherme Reis, dono do estúdio, ligou para João Augusto. Também fui chamado para conversar com o Rafael Borges, empresário da Legião Urbana, e ele ligou para o João e falou que a culpa não era 'do menino', afinal a gravadora é que tinha começado o projeto sem finalizar as negociações", lembra Trilha.

Pazes feitas, João Augusto levou Carlos Trilha para Londres para a gravação das cordas do disco. "Era um estúdio da EMI na Abbey Road. Era mais barato ir gravar lá do que fazer uma sessão de cordas aqui. Foi demais", conta Trilha.

O Último Solo foi lançado em 1997, novamente com capa assinada por Egeu Laus, baseada num quadro pintado pela irmã de Renato, Carmem Teresa Manfredini, e com fotos de instrumentos e objetos pessoais encontrados pelo diretor de arte no apartamento do artista. "Fui a Brasília para fotografar esse quadro na casa dos pais de Renato. Depois, com permissão do pai dele, revirei as gavetas do apartamento do Rio, achei palhetas e outras coisas e marquei de levar um fotógrafo lá depois para fazer os registros. Foi um pouco triste, apesar de digno", define Egeu.

Se Egeu tivesse escutado o papo que Renato Russo teve com Marcelo Fróes em 1996, bem pouco tempo antes de sair de cena, teria a certeza de que remexer as gavetas era a coisa certa a se fazer. Na entrevista dada para uma matéria do jornal *International Magazine*, o vocalista da Legião Urbana reclama da falta de registros históricos e deixa clara a necessidade de se resgatar documentos que façam a manutenção da memória: "Eu sou a pessoa mais otimista do mundo, com relação a mim também. Senão, eu não estava aqui dando entrevista, trabalhando nem tentando construir o futuro, entendeu? A minha esperança é que essa entrevista seja um prazer para os leitores, entende? Traga nova informação, esclareça uma série de pontos e coloque mais em evidência certos pontos que eu não tenho chance, não tenho outro veículo, pelo menos no momento, para esclarecer, para falar. Precisamos de documentadores, precisamos de bibliotecários, precisamos de ter o nosso próprio trabalho registrado. Os meus amigos pintores, eles não têm as coisas deles organizadas, entendeu? O Flávio Colker não tem um histórico do trabalho que ele já fez. A gente não tem tempo. É um dragão por dia! A Angela Maria não tem onde... A não ser por esses fãs loucos, ela vai ter uma retrospectiva real da carreira dela! (...) Você tem gavetas cheias de papéis!"

REPERTÓRIO

faixa	título	composição	duração
1	"Hey, That's no Way to Say Goodbye"	Leonard Cohen	03:02
2	"The Dance"	Tony Arata	02:41
3	"Il Mondo Degli Altri"	A. Civai, F. Palmieri	04:22
4	"Ti Chiedo Onestà"	A. Civai, G. Bigazzi, M. Falagiani	05:00
5	"Lettera"	A. Valsiglio, Cheope, G. Salvatori, M. Marati	03:29
6	"I Loves You, Porgy"	DuBose Heyward, George Gershwin, Ira Gershwin	03:29
7	"E Tu Come Stai?"	Claudio Baglioni	03:44
8	"Change Partners"	Irving Berlin	02:40

PRESENTE

2003

A ntes mesmo de terminar a digitalização de tudo o que tinha encontrado nos arquivos pessoais de Renato Russo e nos da gravadora, Marcelo Fróes foi chamado por Sônia Antunes para uma reunião. A vice-presidente de marketing estratégico da EMI queria lançar um novo projeto e pediu que o jornalista e representante da família Manfredini apresentasse algo. Fróes levou para ela a ideia de reunir raridades deixadas por Renato Russo, que incluíam duetos dele com outros artistas da música brasileira. O projeto se parecia com um apresentado a Jorge Davidson tempos antes por Reginaldo Ferreira, o fã que virou *roadie* e depois amigo de Renato Russo, mas que foi ignorado pelo diretor artístico na época. Jorge também ignorou o porta-voz dos pais de Renato quando, dada a largada, planejou sozinho como seria a produção das músicas que precisavam de novas gravações instrumentais para virarem faixas num álbum.

Quando Fróes se deu conta, o álbum estava quase pronto, faltando só preencher os espaços que ficaram vazios porque a gravadora não conseguiu negociar com as partes envolvidas no breve período que escolheu para preparar o disco, entre dezembro de 2002 e fevereiro de 2003. Isso aconteceu, por exemplo, com José Maurício Machline, que não encontrou duetos de Renato Russo com Dorival Caymmi e Adriana Calcanhotto, que acabaram indo parar no álbum *Duetos*, lançado em 2010. Uma das soluções foi incluir as entrevistas que Renato Russo deu a ele para matérias do jornal *International Magazine*, uma de 1994, outra de 1995 e a de 1996, que são verdadeiros documentos históricos transformados em faixas. As exigências feitas por Marcelo foram refazer a ficha técnica colocando seu nome como idealizador e produtor-executivo e rearrumar a ordem das faixas, seguindo a que ele tinha proposto quando apresentou o projeto para Sônia. Jorge ficou meio chateado, mas acatou e apareceu como diretor artístico apenas das faixas "Mais Uma Vez", "Hoje" e "Boomerang Blues". O nome de Nilo Romero – o produtor convidado a entrar em estúdio – aparece nas faixas em que ele trabalhou (as mesmas de Davidson) junto ao de sua assistente, Gabriela Azevedo, filha do cantor e compositor pernambucano Geraldo Azevedo, que iniciava sua carreira como produtora.

"O título do disco quem deu foi a advogada, a Dra. Silvia Gandelman, justificando que era o melhor título, já que o disco seria lançado no dia do aniversário do Renato. Foi feito um lançamento lindo na EMI, com a presença de Flávio Venturini, Erasmo Carlos, Leila Pinheiro...", lembra Marcelo Fróes.

O álbum mistura os duetos de Renato Russo – com a banda 14 Bis em "Mais Uma Vez", com Leila Pinheiro em "Hoje", com Zélia Duncan em "Cathedral Song", com Paulo Ricardo em "A Cruz e a Espada", com Erasmo Carlos em "A Carta" e com Hélio Delmiro em "Gente Humilde" – com gravações encontradas em fitas K-7 durante a pesquisa de Fróes. Já registrada pelo Barão Vermelho, "Boomerang Blues" é uma delas. Além do violão original de Renato, a faixa de sua autoria ganhou dobro, gaita e produção de Nilo Romero. "Thunder Road", de Bruce Springsteen, foi resgatada da mesma fita onde estava o blues e digitalizada por Fróes, mantendo-se no formato voz e violão. Gravada nos anos 1980, a K-7 trazia canções que o vocalista da Legião Urbana gostava de apresentar na época em que subia ao palco como Trovador Solitário.

Composição de Cazuza e João Rebouças, "Quando Eu Estiver Cantando" foi apresentada no show Viva Cazuza, na praça da Apoteose, três meses após o falecimento do cantor e compositor. Lançado originalmente no álbum homônimo, em 1992, o fonograma foi cedido pela Universal Music para compor o repertório de *Presente*. Renato mostra sua força como intérprete nessa canção, que ganhou ainda uma citação de "Endless Love", sucesso de Lionel Richie e Diana Ross. Mas uma das maiores apostas da gravadora era a canção "Mais Uma Vez", gravada pelo 14 Bis, com participação de Renato Russo, e incluída no álbum *Sete*, lançado pela banda mineira em 1987. Não muito divulgada na época, a música é fruto de um belo encontro de Renato Russo com Flávio Venturini, que se esbarraram nas dependências da EMI, trocaram elogios e acabaram compondo juntos.

"Nós estávamos pela EMI-Odeon, prestes a gravar um novo disco, e começamos a ver o pessoal da Legião Urbana, de quem estavam falando muito lá na gravadora. Houve um momento em que conhecemos o Renato e a primeira coisa que ele falou foi: 'Sou fã do Terço, adoro 'Criaturas da Noite'", lembra Flávio Venturini, que havia tocado na banda O Terço entre 1974 e 1976, antes de fundar o 14 Bis, em 1979.

O 14 Bis tinha o hábito de ensaiar numa sala vazia da gravadora. Certo dia, Flávio chegou mais cedo para o encontro com os parceiros e ficou ali, inventando umas melodias. Renato Russo entrou, ouviu um pouco e perguntou se aquela música tinha letra. Flávio falou que não e Renato se ofereceu, então, para escrevê-la: "Quando veio com o esboço, ele me falou: 'Fiz como se fosse o pai falando para o filho durante uma tempestade.' Aí ele disse que ia terminar e, quando começamos a gravar o *Sete*, convidei ele para participar. Cantei tudo primeiro e, depois, ele cantou tudo também. Foi um pedido nosso porque queríamos ver depois o que íamos usar. E, com a ajuda do nosso grande produtor Mayrton Bahia, dividimos as partes."

Qual não foi a surpresa de Nilo Romero quando, em 2002, ao começar a trabalhar na música, descobriu um canal de voz em que Renato Russo cantava "Mais Uma Vez" inteirinha. A fita estava guardada nos arquivos da EMI havia mais de quinze anos, mas a canção ganhou um arranjo moderno, com direito a violão de doze cordas do cantor e compositor Moska, guitarra de Billy Brandão, teclado de Sacha Amback, bateria de Jongui e baixo e violão de aço do próprio Nilo. A faixa abre o disco, que foi lançado em 27 de março de 2003. A versão gravada com o 14 Bis também está no repertório, fechando o álbum.

Pouco depois desse encontro musical com Venturini, Renato foi procurado por outra grande artista que estava iniciando carreira na música brasileira e que, desde que ouviu "Tempo Perdido", adotou a canção para seu repertório de intérprete. Leila Pinheiro foi até a casa onde Renato Russo morava, na Ilha do Governador, conhecê-lo melhor e pedir para gravar a música em seu terceiro disco, intitulado *Alma* e lançado em 1988. Ambos eram tímidos, mas Leila criou coragem e pediu até para ele escrever na contracapa do seu LP de vinil. Renato ficou impressionado com a versão voz e piano, disse que a cantora trouxe uma sofisticação ao arranjo e saiu do modo tímido para uma relação daquelas que davam direito a ligações telefônicas na madrugada e leitura de seus escritos. Dessa amizade saiu "Hoje", segunda faixa de *Presente*, que foi finalmente produzida depois de tantos anos engavetada.

"Um dia ele veio aqui em casa e perguntou se eu tocava bossa nova. Fui para o piano, li a letra de 'Hoje' que ele havia trazido e fui tocando. Ele já estava doente e a letra dizia algo sobre querer mais tempo, mas eu não entendi porque não sabia. Ele rodava em volta do piano, às vezes pegava meu dedo e puxava de uma nota para outra. Depois, Renato foi embora e eu nunca mais tive acesso à fita K-7 que ele gravou naquela noite. Anos depois, Marcelo Fróes achou esse material e Nilo Romero ligou me convidando para gravar. Cantei por cima e me acabei de chorar... Tive a sensação de que ele estava aqui", conta Leila.

Fugindo totalmente ao seu estilo, Renato Russo se entregou de corpo e alma à canção "Gente Humilde" ao ser convidado pelo professor e produtor Almir Chediak a participar do CD *Songbook Vinicius de Moraes – Volume 3*. A música é de Garoto, ganhou letra de Vinicius e foi registrada por Chico Buarque em seu álbum de 1969. Gravada em 1993, a voz de Renato ganhou acompanhamento do violão virtuosíssimo de Hélio Delmiro, que aparece como seu parceiro de dueto em *Presente*. "A Carta" também não sofreu intervenções ao ser trazida de um disco e incluída no repertório de *Presente*. Sucesso de Erasmo Carlos na Jovem Guarda (do álbum *Você Me Acende*, de 1966), a canção foi regravada pelo Tremendão em seu primeiro álbum solo lançado pela Columbia/Sony, em 1992, intitulado *Homem de Rua*. Convidar Renato Russo foi uma ideia de Marcos Kilzer, na época diretor artístico da gravadora que contratou Erasmo. Russo chegou animado, com a música na ponta da língua e uma ideia formada sobre o arranjo. Além disso, mostrou ao Tremendão que conhecia bem sua obra. O que ninguém no estúdio imaginava é que, ao receber o convite, Renato ligou para uma tia apaixonada pela Jovem Guarda para pedir uma aula e a indicação de uma canção para regravar junto ao ídolo de quem viveu intensamente os anos 1960 no Brasil.

"Foi uma surpresa muito grande! O Renato sabia quase todas as minhas músicas! E ele fez questão que fosse 'A Carta', uma música de Benil Santos e Raul Sampaio que eu tinha gravado e era um sucesso. Meu único contato com ele foi nesse dia, mas valeu por todos, pois nos divertimos muito! Matamos um litro de uísque, só eu e ele. E Renato fez o arranjo com um bom gosto tremendo, com uma empolgação tremenda. Fez uma gravação maravilhosa, fez vozes que não existiam na gravação original. Foi uma coisa tão bonita que a música voltou a ser sucesso outra vez", lembra Erasmo.

Com Zélia Duncan, a história foi bem diferente... Nascida em Niterói, mas criada em Brasília, a cantora e compositora viu o Aborto Elétrico de perto, mas nunca teve a oportunidade de conhecer Renato Russo. No entanto, quando surgiu a ideia de incluir duetos em *Presente*, Victor Kelly, que trabalhava no marketing da EMI, sugeriu fazer uma edição juntando Renato e Zélia em "Cathedral Song", que ambos haviam gravado, ele em inglês e ela em português, praticamente ao mesmo tempo, nos anos 1990. O mistério não desvendado na época do lançamento foi o nome do operador de Pro Tools, que trabalhou com Kelly no estúdio RockIt!, de Dado Villa-Lobos: afinal, quem seria esse tal Loup De Ville, nada conhecido no circuito musical? Em francês, uma das línguas faladas na Bélgica, local de nascimento de Dado, *"loup"* significa lobo e *"ville"*, cidade. Houve quem dissesse que o engenheiro de som misterioso seria o próprio Dado, que não teria aparecido porque, naquele momento, já havia rusgas entre os integrantes da Legião Urbana e a família de Renato Russo.

"Ver o Aborto Elétrico foi um choque necessário, como botar o dedo na tomada e descobrir a vastidão do mundo, das dores e das expressões. O dueto foi apenas uma mixagem, mas resolve a história dessa música, que considero interessante. É que eu gravei 'Catedral' sem fazer a menor ideia que Renato a gravaria em inglês no *Stonewall*. A Warner estava esperando o momento certo para lançar meu disco quando, num programa de TV, ele apareceu cantando 'Cathedral Song'. Tive outro choque! Quando meu disco saiu e 'Catedral' estourou, um jornalista maldoso disse que eu era oportunista. Fiquei bem chateada na época, porque foi uma genuína coincidência. E, depois, quando a música estourou em português, quase ninguém sabia quem era a autora, Tanita Tikaram, com exceção de mim e do Renato. Esse foi nosso real encontro: gostarmos da mesma canção", conta Zélia.

O dueto de Renato Russo e Paulo Ricardo que está no álbum foi em cima de um dos maiores sucessos da banda RPM em 1985. Contemporâneos na música, eles se encontraram nos anos 1990 para regravar "A Cruz e a Espada" para *Rock Popular Brasileiro*, disco lançado por Paulo pela Polygram em 1995 que continha outros hits brasileiros. Em carreira solo desde 1989, o ex-RPM não tinha mais obtido o sucesso estrondoso de sua banda. Essa gravação deu um empurrãozinho para que o músico seguisse em frente. Na mesma época, ao ser convidado por uma banda que tinha acabado de explodir no mercado nacional para uma participação em seu novo álbum, Renato teria dito para a vocalista: "Gosto muito de vocês, mas já aviso que não vou gravar. Vocês não precisam de mim! Eu tenho que ajudar quem precisa. Tenho que gravar com Paulo Ricardo, porque ele tá precisando." A cantora poderia achar que era desculpa esfarrapada, que talvez ele não gostasse tanto assim de sua música, mas anos depois ela foi surpreendida por uma foto de Renato com uma camiseta de sua banda.

REPERTÓRIO

faixa	título	composição	duração
1	"Mais uma Vez"	Flávio Venturini, Renato Russo	03:58
2	"Hoje"	Renato Russo, Leila Pinheiro (com Leila Pinheiro)	04:14
3	"Boomerang Blues"	Renato Russo	03:29
4	"Cathedral Song/ Catedral"	Tanita Tikaram; versão: Christian Oyens, Zélia Duncan (com Zélia Duncan)	02:55
5	"A Cruz e a Espada"	Luiz Schiavon, Paulo Ricardo (com Paulo Ricardo)	03:10
6	"A Carta"	Benil Santos, Raul Sampaio (com Erasmo Carlos)	04:08
7	"Gente Humilde"	Chico Buarque, Garoto, Vinicius de Moraes (com Hélio Delmiro)	03:37
8	"Thunder Road"	Bruce Springsteen	03:34
9	"Quando Eu Estiver Cantando/Endless Love" (ao vivo)	João Rebouças, Cazuza/Lionel Richie	04:23
10	"Entrevista 1"	Trechos de entrevista concedida no dia 1º de dezembro de 1994	10:07
11	"Entrevista 2"	Trechos de entrevista concedida no dia 20 de setembro de 1995	08:36
12	"Entrevista 3"	Trechos de entrevista concedida no dia 6 de julho de 1996	07:27
13	"Mais uma Vez" (versão original)	Flávio Venturini, Renato Russo (com 14 Bis)	04:31

O TROVADOR SOLITÁRIO

2008

O Trovador Solitário

Quase um ano depois do lançamento de *Presente*, mais especificamente em fevereiro de 2004, o pai de Renato Russo faleceu. Aos 80 anos, o Sr. Renato Manfredini caiu em casa, precisou se submeter a uma cirurgia e acabou tendo uma embolia pulmonar e uma série de infecções que o levaram à morte. Como quem canta seus males espanta, sua filha, Carmem Teresa, aproximou-se de Marcelo Fróes e acabou convidada a gravar "Rocky Raccoon" acompanhada da banda Tantra para o *Álbum Branco*, um tributo aos Beatles em que o produtor reuniu diversos nomes da música brasileira e lançou através do selo Discobertas, que ele havia fundado em 2007. O CD duplo chegou às lojas em 2008 e a ótima atuação de Carmem foi destaque em diversas matérias jornalísticas. Com Fred Nascimento (guitarra), Gian Fabra (baixo) e Carlos Trilha (teclado), a Tantra era formada por músicos que conheciam bem Renato Russo, afinal, todos eles participaram de projetos da Legião Urbana e sabiam como o primogênito da família Manfredini era crítico. Aos 45 anos, a professora de inglês tomou coragem e não só enfrentou o microfone como depois gravou um álbum inteiro com Fred, Gian e Trilha. "Meu pior juiz era o Renato. A primeira vez que ele me ouviu cantar, detonou", contou Carmem numa entrevista para o jornal O Globo em 2009.

A parceria de Carmem com Fróes não rendeu só seu lançamento como cantora. A caçula dos Manfredini entregou ao jornalista e produtor, para que ele as usasse em algum projeto do Discobertas, fitas K-7 com gravações que Renato Russo fez em casa, acompanhado apenas de seu próprio violão, no intervalo entre o fim do Aborto Elétrico e a fundação da Legião Urbana. Fróes sabia que tinha em mãos um verdadeiro documento histórico de manutenção da memória de um dos maiores compositores e *performers* da música brasileira. "Esse CD é como uma mensagem na garrafa, que finalmente vem dar à praia depois de ter sido conhecida somente por alguns afortunados ao longo deste caminho de 25 anos. Seu conteúdo não é de todo secreto, mas de uma vez por todas é desvendado e perpetuado para quem quiser conhecer", diz o início do texto de apresentação do álbum assinado por Marcelo Fróes. O Trovador Solitário foi lançado como um disco documental em 13 de julho de 2008, no Dia Internacional do Rock.

No encarte do CD, que traz na capa uma foto de Renato Russo quando criança vestindo um macacão xadrez, são indicados o tempo e o espaço das faixas: as canções de 1 a 9 foram "gravadas em casa em Brasília em 1982"; a 10 foi "gravada em casa em Brasília em 1978"; a 11 foi "gravada ao vivo em Brasília no verão de 1984". Esta última é a única que tem alguém além do Renato cantor e do Renato violonista. Trata-se de Cida Moreira, uma cantora e pianista de São Paulo que dividiu o palco com Renato no show de apresentação do álbum que a Legião Urbana tinha acabado de lançar, na capital do país naquele 1985 (o ano saiu errado no encarte) ensolarado.

"Eu estava iniciando minha carreira e a Legião tinha gravado seu primeiro disco. Cheguei antes em Brasília para ensaiarmos três músicas que Renato cantaria comigo entre o show da banda dele e o meu. Apresentamos 'Die Moritat von Mackie Messer', de Bertolt Brecht, uma outra que não consigo me lembrar e 'Summertime'. O técnico de som gravou apenas essa última e eu fiquei muitos e muitos anos com essa fita guardada. Um dia, Marcelo Fróes me procurou dizendo que uma amiga minha, uma cantora de Brasília, a Zélia, contou a ele que eu tinha essa gravação. Pedi autorização ao Giuliano, filho de Renato, porque achava essa parceria uma coisa muito íntima da qual eu nunca tiraria proveito. Ele autorizou e eu passei o dueto para o Marcelo", conta Cida.

Segundo a musicista, Zélia Duncan, a amiga de Brasília, estava na plateia do show que dividiu com a Legião Urbana. Pode-se dizer que foi ela uma das responsáveis pela divulgação de tal relíquia: a composição de George Gershwin e DuBose Heyward ganhou força nas vozes de Renato e Cida. E a dupla manteve a amizade até a morte dele.

As canções gravadas em 1982 foram "Dado Viciado", "Eduardo e Mônica", "Eu Sei", "Geração Coca-Cola", "Faroeste Cabolo", "Boomerang Blues" (aqui ela aparece em sua versão crua, só com violão), "Anúncio de Refrigerante", "Marcianos Invadem a Terra" e "Veraneio Vascaína". A de 1978 é "Que País é Este". Ilustrado por rabiscos de Renato Russo, o encarte de *O Trovador Solitário* traz palavras, expressões e frases como "A organização do desespero" e "Anarkia é caos construtivo!" e "Vocês são joia", além de trechos manuscritos e datilografados de composições. "Faroeste Caboclo" ganhou uma dobradura dupla, ou seja, quatro páginas, para abrigar sua enorme letra. E "Eduardo e Mônica" ganhou um desenho de um casal e a data do suposto encontro dos personagens escrita por Renato: "Em 1977 + ou –".

É curioso ver como as letras de Renato foram modificadas ao ganharem melodias. "Eduardo e Mônica", por exemplo, seria assim se não fossem as mudanças: "Eduardo e Mônica então decidiram se casar/ Têm um bebê que vai nascer e a gente tem que se apressar/Não se casaram em Igreja nem casaram no altar/Foram pro sítio de Eduardo o casamento consumar/Que coisa linda os dois no meio do riacho." E segue um trecho que aparece já riscado: "Com um flautista indiano que marcava o compasso/E os amigos todos..."

O trecho de "Eu Sei" que diz "talvez tenhamos que fugir sem você" antes era "talvez tenhamos que correr e perder". No fim, Renato escreve "Under Pisces - March, 12, 1982" (em português, "Sob Peixes – 12 de março de 1982"), provavelmente fazendo uma alusão a seu mapa astral, que, segundo estudos feitos após sua morte por astrólogos de plantão, traz Sol e Lua em Áries-Peixes, Mercúrio e Vênus em Peixes, Marte em Aquário-Peixes e Júpiter e Saturno em Capricórnio, sendo seu planeta mais forte Vênus em Peixes.

O responsável por dar qualidade aos áudios resgatados por Fróes foi Ricardo Garcia, que fez a masterização do álbum *Presente* e, antes, quando Renato ainda estava vivo, de *Equilíbrio Distante*: "O trabalho foi basicamente tirar os ruídos, pois a gravação era bem rudimentar. O que tentei fazer foi preservar a voz dele, ou seja, transformar dentro daquela gravação ruim a voz do Renato em voz do Renato. E cada música tinha um som diferente porque foram gravadas em lugares e momentos diferentes. Foi um trabalho de recuperação."

REPERTÓRIO

faixa	título	composição	duração
1	"Dado Viciado"	Renato Russo	02:10
2	"Eduardo e Mônica"	Renato Russo	04:32
3	"Eu Sei"	Renato Russo	02:00
4	"Geração Coca-Cola"	Renato Russo	01:35
5	"Faroeste Caboclo"	Renato Russo	08:19
6	"Boomerang Blues"	Renato Russo	03:32
7	"Anúncio de Refrigerante"	Renato Russo	01:58
8	"Marcianos Invadem a Terra"	Renato Russo	02:14
9	"Veraneio Vascaína"	Renato Russo, Flávio Lemos	02:13
10	"Que País é Este"	Renato Russo	02:08
11	"Summertime"	George Gershwin (com Cida Moreira)	03:54

DUETOS

2010

De repente, o tempo passou. E, em 2010, quando já fazia mais de uma década da morte de Renato Russo, produtores, parceiros e familiares se deram conta de que, em março, ele completaria 50 anos. A EMI, então, uniu-se a Marcelo Fróes e aos parentes próximos de Renato para dar aos fãs mais uma parte do precioso legado que o vocalista da Legião Urbana deixou. Em *Duetos*, um disco de parcerias, o trovador não está nada solitário. Pelo contrário! O homenageado aparece muito bem acompanhado de grandes nomes da MPB, que dividiram os vocais com o cantor e compositor em leituras póstumas ou resgatadas de seus baús particulares.

A faixa de abertura, "Like a Lover (O Cantador)", foi gravada por Renato Russo para o seu *The Stonewall Celebration Concert*, mas não incluída nesse primeiro álbum solo. Em 2009, a canção de Dorival Caymmi e Nelson Motta – que ganhou versão em inglês de Allan Bergman e Marilyn Bergman – recebeu a voz de Fernanda Takai, vocalista do Pato Fu, uma das bandas das quais Renato mais falava. As galeras se conheceram em 1994, num show que a Legião apresentou em Belo Horizonte logo após o grupo mineiro saber que tinha sido citado em entrevistas por Renato. Credenciados, eles foram ao camarim e acabaram convidados para jantar. O cantor deu a Takai seu telefone, mas, tímida, ela levou dois anos para ligar e acabou se aproximando justamente na fase em que a saúde dele começou a se debilitar. Renato gostava tanto da trupe de Takai que a última página do encarte traz uma foto sua com uma camiseta do Pato Fu.

"Marcelo Fróes disse que eu não poderia ficar de fora porque era publicamente sabido que Renato era fã do Pato", diz Fernanda Takai. "Carminha e Giuliano achavam que tinha que ter minha participação. Quando Marcelo me mostrou a foto da camiseta, fiquei até preocupada, porque poderia haver quem não gostasse. Sinceramente, eu tinha alguma restrição a essas coisas feitas postumamente. Mas o Fróes disse que a voz dele tinha qualidade e podíamos construir um novo arranjo. Quando recebi, vi que o timbre estava mesmo muito bem captado. Fui para o estúdio e tentei ficar leve nesse momento. Fiz de conta que ele estava vivo e gravei me baseando em boas lembranças, nas conversas que tivemos sobre nossas espiritualidades... Obedeci ao tom e registrei as partes que não eram boas para minha voz fazendo vocal para ele. Achei o resultado natural."

O dueto de Renato Russo com Marisa Monte, parceiros de composição e de vocais na música "Celeste", só saiu depois de um esforço fenomenal para salvar uma fita danificada que estava guardada nos arquivos pessoais da cantora. Tratava-se de um registro que a dupla fez em dezembro de 1993, quando Marisa estava fazendo a pré-produção de seu CD *Verde Anil Amarelo Cor de Rosa e Carvão*, que seria gravado nos Estados Unidos. Renato preparou parte da música, ela adicionou ideias e saiu do estúdio com uma demo para mostrar aos seus músicos. Marisa acabou não gravando e Renato a incluiu no álbum *A Tempestade* sob o nome "Soul Parsifal" e com alterações na letra. Na versão produzida para *Duetos*, que prioriza o primeiro texto, após a música se segue um trechinho da gravação original, que mostra o milagre feito para transformar o rascunho em arte-final. O responsável pelo resgate foi Carlos Trilha, que acompanhou os dois lados dessa história bem de pertinho.

"Marisa um dia me ligou dizendo que o Fróes a convidou para retomar a parceria, mas ela não queria gravar um dueto falso. Perguntou se eu conseguiria usar o dueto da demo, extraindo só as vozes e fazendo um novo arranjo. O que tinha ali era uma programação para a base da música que eu e Renato fizemos em quinze minutos, antes de Marisa chegar no estúdio para gravar. Precisei estudar um novo software japonês, cheguei a ligar para um professor de física, trabalhei uns trinta dias nisso, e consegui. Chamei Marisa, ela ficou feliz que deu certo e produzimos juntos a gravação dos instrumentos aproveitando a ideia de arranjo que nós três tínhamos tido quando fizemos a demo", lembra Trilha.

A nova base foi gravada com acompanhamento de Fred Nascimento (guitarra), Gian Fabra (baixo) e outros músicos. Para a bateria, Marisa queria algo anos 1960, e Cesinha deu conta. O arranjo de cordas, ela mesma fez com a boca para Pedro Mibielli (violino) escrever e tocar junto com Hugo Pilger (cello). A cantora só acrescentou *backing vocals* ou vocais na gravação. Trilha lembra que fez uma parceria prazerosa com Marisa, que preferiu manter a vibração boa do primeiro registro a cantar a letra depressiva que Renato aplicou à canção quando a incluiu no último álbum que a Legião Urbana lançou enquanto ele era vivo.

"Ela não gravou a música porque não ficou confortável cantar naquela extensão, mas a comunicação era escassa e Renato acabou não entendendo. Ele ficou um pouco chateado, mas comentou comigo rapidamente e disse que ia gravá-la. Ela tinha adorado a letra. É só ouvir a gravação para perceber que eles estão se divertindo horrores. E ele a alterou justamente naquela fase em que estava debilitado. 'Celeste' é bem mais solar, positiva. 'Soul Parsifal', não. A primeira frase, 'Vê que meu sorriso é verdadeiro', mudou para 'Ninguém vai me dizer o que sentir'. E por aí vai", diz Trilha.

Enquanto em "Celeste" eles cantam "Porque foi calma a tempestade / E tua lembrança, a minha estrela / Vê que o meu sorriso é verdadeiro / Meu coração está desperto / É sereno nosso amor e santo este lugar", em "Soul Parsifal" Renato entoa "Estive cansado / Meu orgulho me deixou cansado / Meu egoísmo me deixou cansado / Minha vaidade me deixou cansado / Não falo pelos outros / Só falo por mim". As duas faixas foram registradas como dois fonogramas diferentes na editora EMI Music Publishing.

"Nada por Mim" foi um dueto de Renato e Herbert Vianna durante o show *Paralamas & Legião*, realizado na TV Globo em 1988 e que em 2009 saiu em CD e DVD. As cantorias com Paulo Ricardo ("A Cruz e a Espada"), 14 Bis ("Mais uma Vez"), Erasmo Carlos ("A Carta"), Zélia Duncan ("Cathedral Song/Catedral") e Cida Moreira ("Summertime"), que estão no álbum *Presente*, voltaram ao repertório de *Duetos*. Outras pérolas resgatadas para o álbum são "Só Louco" e "Esquadros", que Renato gravou com seus respectivos autores, Dorival Caymmi e Adriana Calcanhotto, em 1994. Ambos os números foram produzidos por José Maurício Machline em sua casa e exibidos no programa de TV *Por Acaso*, que ele comandava na TV Manchete. Um dueto que nunca foi aproveitado é "Agora Só Falta Você", sucesso de Rita Lee interpretado no programa durante um encontro de Renato com Calcanhotto.

"Renato foi convidado a participar do programa com a Adriana Calcanhotto. Nesse mesmo dia, não lembro se antes ou depois, eu gravaria um programa com Dorival. Ele não conhecia o Caymmi, mas, quando o viu, ficou apoplético. Ele me confessou que ele era seu ídolo e pediu meu motorista emprestado para ir até em casa buscar umas coisas. Renato voltou cheio de LPs do Caymmi para ele autografar. Chegou a vez de gravar o programa e ele pediu para assistir. Falei, então, que podia participar. Aí ele começou a chorar, ficou superemocionado. E os dois cantaram uma música juntos. Foi um acaso como o nome do programa", conta Machline, que chamava Renato de "o novo Cauby Peixoto do Brasil" por causa do vozeirão.

Com cada um, Renato Russo tinha uma história. Para Caetano (e Ney Matogrosso), certa vez, o músico fez um show privê com canções de Elton John. E Caetano gravou sua voz para um dueto com Renato em "Change Partners". A italiana Laura Pausini aceitou cantar "Strani Amori" com ele à distância, afinal, ela foi a musa inspiradora do segundo disco solo de Renato, que prioriza canções em italiano. Grande fã, amiga desde os anos 1980 e parceira do trovador, Leila Pinheiro adotou "La Solitudine" para seu repertório após gravá-la com Renato. Célia

Porto encarou a versão em italiano (ele) e português (ela) do sucesso de Lulu Santos e Nelson Motta "Come Fa Un'Onda/Como Uma Onda". A cantora brasiliense era fã e, com o consentimento do ídolo, gravou um disco com suas canções, que ficou pronto logo após sua morte.

"Quando me tornei cantora profissional, coloquei no meu primeiro CD 'Boomerang Blues' numa versão regida pelo maestro Renio Quintas, meu marido, que havia se encontrado com Renato Russo numa das edições do Prêmio Sharp. E ainda tinha outra coincidência: Renio foi dono do bar onde o Aborto Elétrico tocava. Renio, então, sugeriu que eu fizesse um disco cantando Renato Russo e eu fui mostrando a ele na medida em que fui produzindo. A gente se aproximou muito, mas ele faleceu antes de ver meu trabalho lançado. Quando o Fróes me convidou para esse projeto, já existia a música e o arranjo. Produzi somente minha voz", conta Célia.

As faixas em italiano foram retiradas do repertório do álbum *Equilíbrio Distante*. O registro de "Vento no Litoral", uma composição de Dado Villa-Lobos, Renato Russo e Marcelo Bonfá, foi pinçado dos arquivos de gravação do álbum *V*, da Legião Urbana. A voz de Cássia Eller saiu de uma participação dela no show Tributo a Renato Russo, realizado em 15 de dezembro de 1999, no Metropolitan, no Rio de Janeiro.

REPERTÓRIO

faixa	título	composição	duração
1	"Like a Lover/ O Cantador"	Dori Caymmi, Nelson Motta; versão: Allan Bergman, Marilyn Bergman (com Fernanda Takai)	04:23
2	"Celeste"	Renato Russo, Marisa Monte (com Marisa Monte)	06:28
3	"Vento no Litoral"	Renato Russo, Marcelo Bonfá, Dado Villa-Lobos (com Cássia Eller)	05:54
4	"Mais uma Vez"	Flávio Venturini, Renato Russo (com 14 Bis)	04:32
5	"A Carta"	Benil Santos, Raul Sampaio (com Erasmo Carlos)	04:01
6	"A Cruz e a Espada"	Paulo Ricardo, Luiz Schiavon (com Paulo Ricardo)	03:10
7	"Cathedral Song/ Catedral"	Tanita Tikaram; versão: Christian Oyens, Zélia Duncan (com Zélia Duncan)	02:57
8	"Change Partners"	Irving Berlin (com Caetano Veloso)	03:47
9	"Strani Amori"	R. Buti, Cheope, M. Marati, A. Valsiglio (com Laura Pausini)	04:24
10	"La Solitudine"	P. Cremonesi, A. Valsiglio, F. Cavalli (com Leila Pinheiro)	04:12

11	"Come Fa Un'Onda"	Nelson Motta, Lulu Santos; versão: Massimiliano de Tomassi (com Célia Porto)	03:25
12	"Só Louco"	Dorival Caymmi (com Dorival Caymmi)	03:24
13	"Esquadros"	Adriana Calcanhotto (com Adriana Calcanhotto)	02:44
14	"Nada por Mim"	Herbert Vianna, Paula Toller (com Herbert Vianna)	02:15
15	"Summertime"	George Gershwin, Du Bose Heyward, Ira Gershwin (com Cida Moreira)	03:53

1ª edição	Novembro de 2016
papel de miolo	Offset 90g/m²
papel de capa	Cartão Supremo 250g/m²
tipografia	Dante MT Std
gráfica	Oceano